わかりやすい
マーケティング戦略

沼上 幹［著］

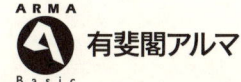

はしがき

　本書は市場に軸足を置いた経営戦略の入門書である。入門書として書くと決めたからには，できるかぎり分かりやすくするように心がけたつもりである。分かりやすくするために，著者は2つのことに注意を払った。

　1つめは，書きすぎないことである。あまり多くの細かい点や例外的な話を盛り込んでいくと，論理の大筋を追うのが初学者にとって難しくなってしまう。重要なことは「市場に軸足を置いた経営戦略」について大まかで太い骨格をつかんでもらうことにある。もちろん細かい点が重要でないとは著者も思っていない。しかしそういうことを初学者に最初から伝える必要はない。後で勉強すれば良いのだ。本書を読んで基本骨格が身に付けば，その後に「世の中はもうちょっと複雑だ」ということを追加的に理解していくのはそれほど難しいことではないはずである。

　2つめは，さまざまなコトバの意味と具体例ができるだけすぐに出てくるように書いたということである。「なにか難しいコトバが出てきたな」と思っても，ひるまないでほしい。コトバの説明と具体例によって，読み進むうちに自然と理解が進むはずである。分からないコトバや難しい文が出てくると，そこで止まってしまうのが初学者の学習向上を阻害しているひとつの要因である。分からないことは，次の文を読んだり，次のページに進むことで自然に解消していくはずである。だから躊躇せずに次々に読み進んでほしい。また具体例を示す際にも，本書ではできるだけ多くの読者にとってなじみ深い商品を事例として選ぶようにしている。

こうすることで本書の中に出てくるコトバが単に頭の中だけのものではなく，より具体的な現実世界と密接に結びつくものだという実感をもってもらうことができるはずである。

　しかし，分かりやすくすることを重視しているからといって，論理の筋道に関しては骨のあるものにしているつもりである。「宣伝が上手かったから売れた」とか「たまたま時流にのったから成功した」といったような，世間で一般に流通している「お手軽な議論」は，単純であるが故に分かりやすいけれども，わざわざ本を読んで学ぶ必要などないものであろう。また，本書は，単に目新しいカタカナ・コトバやアルファベットを憶えてもらうための本ではないということも強調しておきたい。いやしくも大学水準の入門書なのだから，目新しいコトバの羅列でもなく，当たり前の議論の繰り返しでもなく，まじめに読めば「お手軽な議論」では見えてこないものが見えるようになる，というのでなければならないだろう。商学部や経営学部などの大学生ばかりでなく，他の文科系の学部を卒業した人々や理科系で育った社会人にも読み応えのある入門書にするには，分かりやすくマーケティング戦略の基本論理を説明していながら，同時に社会科学の思考法とか論理の組み方の香りを嗅いでもらえるようになっていなけらばならないだろう。本書はそのような入門書を目指しているのである。

　著者は本書を書く前に，普通の人が読みそうもない研究書を2冊書き上げている。1冊は600ページもの大部であり，もう1冊は哲学書みたいに難解な研究書である。本書はもちろん難易度に関して前2冊よりもずっと簡単であるけれども，社会科学の香りのようなものを前2書と同様に本書からも嗅ぎ取ってもらえるように努力が払われている。願わくば，難解なアルバムを創り出し

てきた合間に，聞きやすくて，しかもジャズの香りが十分に堪能できる「バラッド」を吹き込んだジョン・コルトレーンにあやかれんように．

謝　辞

本書は，1991年に作成された日立製作所の社内テキスト用原稿をベースにして，事例を大幅に差し替え，いくつかの章に関して基本的な論理を組み替えて出来上がっている．それ故，同社の営業教育推進部を中心とした多くの方々のお世話になっている．営業教育推進部でテキストと研修体系づくりに邁進していらっしゃった古西昌平さん，児林直留さん，田中稔さん，石田俊美さん，菅沼恵慈さんにはテキストづくりばかりでなく，営業の現場に関するお話や社内における組織的な仕事の進め方に関するお話など，多くのことを学ばせていただいた．また，テキストづくりの最終フェーズでの討議に参加してくださった今村陽一さん，松田栄作さん，市場尚志さん，田中良一さん，塚文隆さんからも貴重なご意見をいただいている．

当初社内テキストであった原稿を改訂して一般に利用可能なテキストにしたい，という希望を著者がもったのは，近年，国立大学において大学院大学化が進展し，高度専門職業人教育が本格化していく状況に直面してきたからである．ますます増え続けている社会人大学院生向けの講義を担当して，かつて学んだ経営戦略論をもう一度振り返って整理したい実務家や，もともと商学・経営学系の学部教育を受けているわけではない実務家が，独学で基本論理を整理し，身につけることができるようなテキストがあれば，と著者は考えるようになった．彼らに基本論理の部分は独学

で済ませてもらい，教室ではより進んだ議論をしたい。そうすることで，戦略審美眼をもった人材を日本国内に多数育成し，供給していきたい。そのような著者の希望を快く受け容れてくださった日立製作所と，そのプロセスでご尽力くださった同社の石井志津夫さんと根井雅一さんに心から感謝していることをここに記しておきたい。

　なお，本書の作成にあたって，一橋大学商学部助手の中本裕子さんと岡安史恵さんにはさまざまなサポートをしていただいている。また有斐閣書籍編集第2部の伊東晋さんと藤田裕子さんは，遅々として仕事の進まない著者にやんわりとプレッシャーをかけてくださり，本書出版の背後にある多様な手続きを手際よく処理してくださった。お2人を含めて，丁寧な本づくりの作業を進めてくださった有斐閣のスタッフの方々に感謝したい。

　　　2000年2月3日

著　　者

著者紹介

沼上 幹（ぬまがみ・つよし）

1960 年　生まれる
1983 年　一橋大学社会学部卒業
1985 年　一橋大学大学院商学研究科修士課程修了
1988 年　成城大学経済学部専任講師
1991 年　一橋大学商学部産業経営研究所専任講師，同研究所助教授を経て
1997 年　一橋大学商学部助教授
2000 年 4 月より　一橋大学大学院商学研究科教授

主要著作

『事業創造のダイナミクス』（共著）白桃書房，1989 年。『創造するミドル』（共編）有斐閣，1994 年。『液晶ディスプレイの技術革新史：行為連鎖システムとしての技術』白桃書房，1999 年（組織学会高宮賞，エコノミスト賞，日経賞受賞）。『行為の経営学：経営学における意図せざる結果の探求』白桃書房，2000 年。『組織戦略の考え方：企業経営の健全性のために』ちくま新書，2003 年。『組織デザイン』日経文庫，2004 年。

著者が語る 本書の特徴

　戦略論を専門にしている著者がマーケティング戦略の本を書いたのだから，マーケティングが専門の人が書いた類書と本書がいくつかの点で異なっていて当然であろう。著者が自分で認識している本書の特徴として，はしがきに書いたもの以外に以下の 3 点ほどをあげておきたい。

(1) チャレンジャー企業とリーダー企業の間の競争について，時間展開をにらんだ妥当な定石を用意している。従来のチャレンジャー＝差別化，リーダー＝同質化という定石では，ほとんどの場合チャレンジャーは勝てない。チャレンジャーがリーダーに勝つには，プラスアルファが必要である。そのプラスアルファを明示的に示してある。
(2) 業界の構造分析に関しては，論理の流れと個々の項目の解説という 2 つの面で，邦文文献の中では最も分かりやすく仕上げたと自負している。（もともとがかなり厄介な手法だけに，多くの教科書ではずいぶん省略されており，そのことによってかえって分かりにくくなっているように思われる。）
(3) PPM の特徴をより明確化するために，独立採算のシナリオや単純な調整のシナリオなど，PPM 以外のやり方でキャッシュ・フローのマネジメントを行なったらどうなるのかを対比して書いてある。こうすることで PPM の特徴をより明確に読みとることができるはずである。

目次 Contents

序章 イントロダクション　1

1. 考えることの大切さ (1)　2. 戦略的に思考する (2)
3. 戦略とは (3)　4. 3つのスタンス (4)

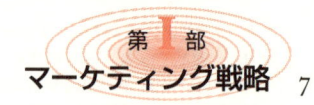

第I部 マーケティング戦略　7

第1章 マーケティング・ミックス　11

4つのP

1 プロダクト
●製品..12
1. 本質サービス (12)　2. 補助的サービス (14)
3. プロダクト・ミックス (18)

2 プレイス
●流通チャンネル..20
1. 小売業と卸売業 (21)　2. 2つのチャンネル政策 (24)　3. 物流システム (25)

3 プロモーション
●顧客との情報のやりとり................................27
1. 広告・宣伝 (27)　2. 販売員 (28)　3. 広報活動 (29)　4. 販売促進 (31)　5. プッシュとプル (32)

4 プライス
●価　格..33

5 マーケティング・ミックス
●4Pの内部のフィット..................................35

1. ヨード卵「光」のケース（35） 2. ルイ・ヴィトンのケース（38）

第2章 ターゲット市場の選定 41
セグメンテーション

1 セグメンテーションの定義 ……………………… 41
1. セグメントとセグメンテーション（41） 2. 化粧品市場のセグメンテーション（43）

2 セグメンテーションの基準 ……………………… 47
1. 地理的な軸（49） 2. 人口統計的な軸（51）
3. 心理的な軸と行動面の軸（52）

3 軸の組み合わせ ……………………………………… 54
1. 3つのW（54） 2. ユーミンのケース（55）

4 ターゲットを絞る …………………………………… 59
1. セグメンテーションのチェック・ポイント（59）
2. 3つのアプローチ（60） 3. ターゲット・セグメントと4つのPのフィット（63）

5 富士写真フイルム「チェキ」のケース ……………… 64
1. ターゲット（64） 2. マーケティング・ミックス：4つのP（66） 3. 複合ターゲットへ（67）

第3章 製品ライフサイクル 69

1 導 入 期 ……………………………………………… 71
1. 市場拡大のボトルネック（71） 2. 導入期の戦略定石（74）

2 成 長 期 ……………………………………………… 77
1. ブランド選好の獲得（77） 2. 成長期の戦略定石（78）

3 成 熟 期 ……………………………………………… 81
1. ブランド・ロイヤルティ（81） 2. 成熟期の戦略定石（82）

4 衰 退 期 ……………………………………………… 83
1. 撤退：タイミングの取り方が難しい（84） 2. 展

開:技術革新か海外市場など新規市場開拓 (86)
3. 残存者利益:みんなが残ると悲惨 (88)

5 まとめ ...89

6 若干の注意事項 ...90
1. 変則的な製品ライフサイクル (90)　2. 自己成就的予言が成り立つ製品ライフサイクル (91)

7 カップヌードルのケース
●導入期のマーケティング戦略 ...94

第4章 市場地位別のマーケティング戦略　99

1 4つのタイプ
●リーダー,チャレンジャー,フォロワー,ニッチャー ...100
1. リーダー,チャレンジャー,フォロワー,ニッチャー (100)　2. コトラーの分類法 (102)

2 トップ・シェアの魅力
●なぜナンバーワンを目指すのか ...104
1. シェルフ・スペース (104)　2. 生産コストのメリット (106)

3 リーダーの戦略 ...111
1. 市場全体の拡大 (112)　2. シェア防衛 (114)
3. リーダーの戦略定石 (117)

4 チャレンジャーの戦略 ...119
1. 差別化によってリーダーを攻撃 (119)　2. チャレンジャーの戦略定石 (121)

5 ニッチャーの戦略 ...127
1. 隙間市場へ集中 (127)　2. 日本ルナのケース (130)

6 フォロワーの戦略 ...132
1. 経済性セグメント (132)　2. 市場地位別戦略定石 (135)

7 ドライ戦争 ...137
1. アサヒビールの苦闘 (137)　2. スーパードライの衝撃 (139)　3. キリンの戦略の揺れ (139)　4. 教訓 (142)

第II部 より広い戦略的視点を求めて　145

第5章　業界の構造分析　149

1 競争要因と利益ポテンシャル　149
1. 儲かる業界儲からない業界（149）　2. 5つの競争要因（151）

2 既存企業間の対抗度・敵対関係の強さを規定する要因　155
1. 競争業者（155）　2. 産業の成長率（159）　3. 固定費・在庫費用（159）　4. 差別化の困難さ（160）　5. 生産能力の拡張単位（162）　6. 競争業者の性格（163）　7. 将来性（165）　8. 退出障壁（165）

3 新規参入の脅威　166
1. 参入障壁（168）　2. 予想される反撃の強さ（173）

4 買い手の交渉力（売り手の交渉力）　175
1. 買い手のパワーを高める要因（176）　2. 買い手の価格センシティビティを高める要因（181）

5 代替品の脅威　184

6 おわりに
● 4つの注意点　185

第6章　全社戦略　189

1 高度に多角化した企業の経営　190

2 PPM　192
1. 3つの情報：市場シェア，市場成長率，売上規模（192）　2. 3つの仮定：キャッシュの産出量と必要量，成長率（194）　3. 各セルの特徴（196）

3 キャッシュ・フローのマネジメント　197
1. 厳格な独立採算制のシナリオ（198）　2. 単純な調

整を行なう場合のシナリオ（200）　3. PPM の最適キャッシュ・フロー（201）

4 事業単位ごとの戦略指針 ……………………………………203
1. 4つの指針（203）　2. 戦略経営へ（205）

5 若干の注意事項 …………………………………………………206
1. PPM についての2つの注意点（206）　2. PPM の2つのデメリット（208）　3. PPM の2つのメリット（209）

第7章　事業とドメインの定義　　211

1 事業定義・ドメイン定義の重要性 ……………………………211
1. 事業の定義（211）　2. ホリデイ・インズ社のケース（214）

2 事業定義の方法 …………………………………………………217
1. 事業定義の3軸（217）　2. 花王と資生堂のケース（219）　3. エーベルに学ぶ（222）

3 ドメイン定義の注意点 …………………………………………223
1. 5つのチェック・ポイント（223）　2. ホッファーとシェンデルの分類（224）　3. NEC のケース（226）　4. 社員の納得（228）

4 終わりに …………………………………………………………229

終章　戦略的思考に向かって　　231

1. 本書のまとめ（231）　2. 3つのスタンス（233）　3. 集中せよ（233）

参考文献 ——————— 239
索　　引 ——————— 244

序章 イントロダクション

1. 考えることの大切さ

「悪貨は良貨を駆逐する」という《グレシャムの法則》を記憶している人は多いだろう。しかし，《計画のグレシャムの法則》を知っている人はそれほど多くはあるまい。ノーベル経済学賞を受賞したハーバート・サイモンが，先の法則にならって付けた名称である。これは「ルーチンな仕事はノン・ルーチン（創造的）な仕事を駆逐する」という人間の性向を指したものである。つまり，期日の迫った単純な仕事が目の前に山のように積まれていると，人間は長期的に考えなければならない重要な計画など考えなくなってしまうということである。毎日毎日忙しくてたまらんという人は，本来ならば1年後あるいは5年後までみすえて仕事の全体像を考えておくべきなのに，そういった長期的な課題を常に後回し後回しにして，結局何も考えなくなる。「貧乏暇なし」だから「貧すれば鈍する」

のである。

 自分の身の回りを見渡しても，この《計画のグレシャムの法則》にはまり込んでいる人は多いのではないだろうか。迫りくる納期や顧客のクレーム処理，伝票整理。日々こなさなければならない仕事など腐るほどある。こういった状況では，「つべこべいうな，考えるよりまず行動することだ，まずお客さんのところに行ってこい」という意見が通りやすい。しかし，考えることが行動することよりも本当に重要なのは，まさにこういう状況下であることが多い。雑事が山のようにたまるにせよ，人が足りないにせよ，根本的に仕事のやり方を見直したり，自分たちがいったい何をやっているのかを問い直す必要があるのは，こういう時であるはずだ。

2. 戦略的に思考する

 このテキストが目指しているのは，単にマーケティング戦略をお勉強するためのガイドではなく，《計画のグレシャムの法則》に陥りがちな人に，重要なことを考える道具立てを提供することである。既に顧客志向という言葉が身体にこびりついてしまった人に，自分の身の回りの状況に関して戦略的に考え，議論し，実行することの重要さを理解してもらうことを目指しているのである。特に，市場・顧客を出発点として戦略的な思考のトレーニングをすることがこの本の目的だといってもいいだろう。思考法のトレーニングだから，この本の中に出てくる人の名前や会社の名前などは憶える必要はない。重要なのは，この本に出てくるコンセプト（概念）を自分で使えるようになり，そのコンセプトを使って身の回りの状況を分析できるようになることである。

「市場に関して戦略的に思考する」というのはいったいどういうことなのか。そもそも「戦略」とは何だろうか。いろいろ難しい定義があるけれども、ここでは、自分が将来達成したいと思っている「あるべき姿」を描き、その「あるべき姿」を達成するために自分のもっている経営資源（能力）と自分が適応するべき経営環境（まわりの状況）とを関係づけた地図と計画（シナリオ）のようなものだと考えてほしい。経営資源というのは一般にヒト・モノ・カネ・情報であり、経営環境とは顧客や競争相手、不景気・好景気などのマクロな経済状態などをいう。

3. 戦略とは

ここであげた定義からすれば、戦略というのは企業以外にもあることが分かるだろう。ギリシャ語で将軍の術（the art of the general）という意味のストラテゴス（strategos）から派生した「戦略」（ストラテジー、strategy）は、もともと軍事用語である。

たとえば湾岸戦争の報道でも盛んに「戦略」ということばが使われていた。あの場合、米国側からすれば、「あるべき姿」はイラクのクウェートからの即時全面撤退を、できるだけ少ないコストで短期間に行なうことである。戦争終結後のアラブ世界での政治力確保というのが「あるべき姿」だという人もいるが、とりあえず、こう考えておくことにしよう。環境は1月から2月の砂漠地帯の地形と気候、イラクの兵力と前線への物資供給能力、湾岸諸国の外交政策などである。資源は兵力、経済力、資金負担を他国に要請できる政治力などであろう。これらの要因を関連づけて、いつ何処に、どのような軍事力を配置し移動させていくか、そのためにどのような物資補給の仕組みを創るか、というのが戦略だ

と考えて頂きたい。

　もちろん個人にも「戦略」はある。入社試験の面接や子育て，買物，などさまざまな局面で人間は「戦略的」に行動することができる。そうすることが望ましいことだとは思わないが，恋愛だって戦略的に行なうことは可能である。この場合には，相手の好みと性格，同じように相手に好意を寄せているライバル，相手が頻繁に相談をする両親や友人などが環境である。資源は，自分の肉体的・精神的魅力と資金力と暇などであろう。どのような状態を「あるべき姿」として思い描くかは，人によって違うだろうから，どのようなステップで「あるべき姿」に近づいていくかは，ここでは敢えて触れないでおこう。

4. 3つのスタンス

　「戦略」とはこのように非常に広い範囲に応用の効く考え方である。しかし，この本で扱うのは《市場に関して，市場を中心に据えて，戦略的に思考すること》である。その具体的な内容については，以下の各章での議論にゆずるとして，ここでは「戦略的」に思考するために必要な3つのスタンスについて注意を促しておきたい。

　まず第1に，戦略的に思考するためには大きく考えることが必要である。自分の目の前の仕事ばかり考えるのではなく，さまざまな他者との関係の中で自分の役割をしっかり位置付けておくことが大切である。これは，自分のやっていることを，あたかも観客として外側から眺めるようなスタンスである。たとえば，自分の仕事と顧客のニーズを結びつけて考えたり，他社の動向との比較で自分のやっていることを見つめ直したり，自分の会社の他の部門の仕事と自分の仕事の関連を考えてみたり，といったことが

戦略的に思考する上でまず初めに必要なスタンスである。

　第2に，未来を考えようとすること。明日までに片付けなければならない仕事が大量にある時に未来のことなど考える余裕はない。しかも未来など見えるものではない，しょせん未来は不確実である。そう考える人もいるだろう。たしかにその通りだ。しかし，1日のうち30分でもいいから，無理してでも未来を考えるクセを身に付けることには意味がある。見えないとは言っても，全然見えないわけではなく，本気になって見ようと思えば見えるものもある。何が起こりそうか，かなり確実に分かっている場合もあれば，起こりそうなことが2～3のものに絞り込める場合もある。もちろん，何が生じるのか全く想定できない場合もある。大切なことは，どこまでが本当に予見できて，どこからは本当に予見できないことかをはっきりさせておくことだろう。1年後，5年後，10年後は，いったい自分の仕事はどうなっているのだろうか。こういったことを常に少しでも考えている必要がある。こういうクセをもつことで，時間を通じた変化を徐々に理解し，予見できることが多くなったり，予期していない事態に柔軟に対処できるようになるのである。

　第3に，論理的に考えることが重要だ。論理などくだらんという人には，「論理がくだらん」ということを，どうやって他人に説得するのか，という問いを投げかけなければならない。組織で仕事をし，長期にわたって成果を蓄積していくには論理的に考えるクセが是非とも必要である。人を説得する方法は，理詰めでいくか共感を呼ぶか，どちらかしかない。しかも毎日の苦労の積み重ねが長い年月の間に意味のある蓄積になるためには，きちんとした論理に基づいて行動していかなければならない。人間は，こ

れまで経験上うまくいってきたことが,どのような状況下でもうまくいくと単純に信じ込んでしまう傾向がある。このような信念に基づいて行動している場合には,知らぬ間に世の中が変化して,実はこれまでの経験則が成り立たなくなってしまっても過去のやり方に固執してしまう。経験的にうまくいっているとしても,そのやり方がなぜうまくいくのか,ということを論理で説明できるようにしておけば,不意に訪れる世の中の変化にも柔軟に対応できるはずである。

論理的に考える場合にカギとなるのは「フィット」ということばである。自社の製品が成功したのは,ターゲット市場のニーズに「フィット」していたからだとか,製品ライフサイクルの段階に「フィット」していたからだ,などなど,具体的な内容は後々理解するとして,何かと何かが「フィット」しているか「フィット」していないか,という考え方が重要だということに注意を促しておこう。

大きく,未来を,論理的に考えること。これが戦略家(ストラテジスト)の基本である。この基本スタンスを念頭に置いてこの本を読み進んでほしい。

マーケティング戦略

第 I 部

第Ⅰ部はひとつの製品あるいは類似の製品群のマーケティング戦略について解説を加えていく。それ故，読者には，自分が特定の製品や製品群のマーケティングを担当する立場に立っているという想定をしておいてもらいたい。特定の顧客たちを念頭に置いて，何らかの製品を開発・生産・販売することで利益を手に入れようとする場合に，どのようなことを考えなければならないのかが，この第Ⅰ部で大まかに示される。

　もちろん現実の企業人はもっと複雑なことを考えている場合が多いけれども，本書の目的は何よりもまず市場を中心とした戦略的思考法の基本中の基本を読者に伝えることにあるので，できるかぎり思考法の大枠に議論を絞っておく。論理の背骨だけ示し，小骨を付けたり肉を付けたりといった作業は，読者自ら，他の書物を読んだり実践を通じて行なっていってほしい。

　ここでいう論理の背骨はきわめて単純である。図Ⅰを見ていただきたい。マーケティング戦略をたてる上でもっとも基本になるのは，お客さんのニーズに自社が提供す製品・サービスがフィットしている，ということである。顧客の欲しいものを提供することが基本だというのは当たり前すぎるくらい簡単な論理であろう。この簡単な論理を，実際のマーケティング戦略を考える上で役立つ程度に具体的なレベルで，少しずつ細かいところまで展開していくのが，本書の第Ⅰ部である。

　まず次の第1章では，企業が市場に対して働きかける道具のセットを紹介する。①製品と②流通チャネルと③プロモーション，④価格という4点セットをマーケティング・ミ

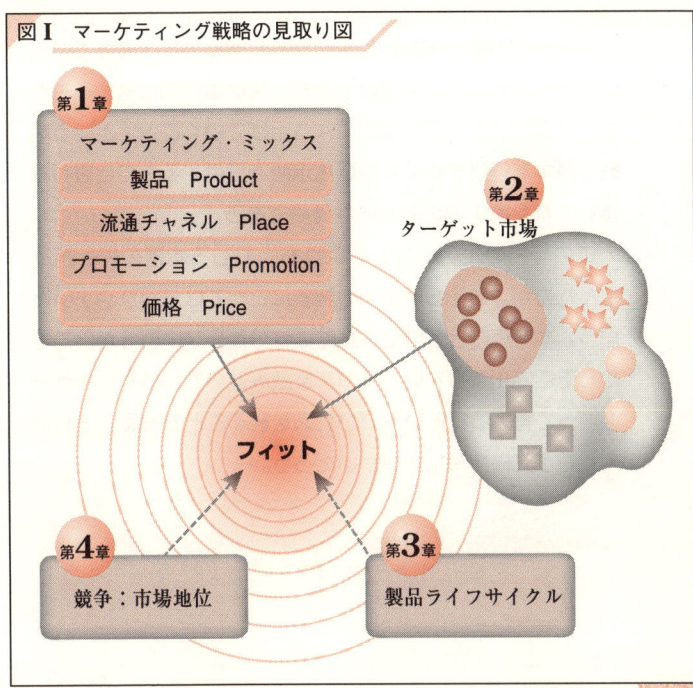

図I マーケティング戦略の見取り図

ックスという。この4点セットを紹介した上で、続く第2章では、市場の中のどの部分を自分たちの主たる顧客として想定するのかを考える。企業がネライをつけている「主たる顧客」、すなわちターゲット市場の選定方法について議論するのが第2章のテーマである。第1章と第2章を読み進むうちに、読者はマーケティング・ミックスとターゲット市場のニーズとが「フィット」している、というのがどういうことかだいたい見当が付いてくるに違いない。この見当が付いた段階で、第3章と第4章では両者の「フィット」の関係に重大な影響を与える環境要因を紹介し、それぞれの条

件次第でどのような戦略の定石があり得るのかを考えていく。この定石を考えていくプロセスが，実は論理的に考えること，また「フィット」を多面的に作り上げていくこと，という戦略の基本を理解する上で重要な示唆を提供するものと思われる。これが第Ⅰ部の基本的な骨格である。

　この骨格の説明そのものよりも，むしろ本書の先を読み進んだ方が，おそらく多くの読者にとっては分かりやすいと思う。本を読むときの基本戦略は，分からない部分が出てきたらそこで止まらずに，そのまま読み進めていって，もう一度戻って考える，というプロセスを経ることである。それゆえ，もう先に進んだ方が良いだろう。

第1章 マーケティング・ミックス

4つのP

 マーケティング戦略の基本は、ある程度似たようなニーズをもつターゲット市場を見つけだし、そのターゲット市場のニーズにフィットするように、製品特徴と流通経路、広告、価格などの手段をうまく組み合わせていくことである。

 ターゲット市場に働きかけるための手段の組み合わせをマーケティング・ミックスという。マーケティング・ミックスの中身の分類はさまざまな形で行なわれてきているが、これを4つのPにまとめておくと憶えやすく、自分でものを考える時にも混乱しないので便利である。

 もともとE. J. マッカーシーという人が4P's（よんピー、とか、フォーピーズなどと呼ばれる）という分類法を言い出したのだが、もちろん人の名前を憶える必要はない。しかし、4つのPがそれぞれ、①プロダクト（Product：製品）と②プレイス（Place：流通

経路），③プロモーション（Promotion：販売促進），④プライス（Price：価格）のことだということは頭に叩き込んでほしい。ひとつずつ説明をしていこう。

1 プロダクト

● 製　品

　製品（商品）あるいはサービスというのは分かりやすそうで実は難しい。自分がいったい何を売っているのか，ということを人はしばしば間違う。まず，ひとつの製品は，①その製品が提供している本質的なサービスと，②その製品に付随している補助的なサービスとの組み合わせとして捉えておく必要がある。その上で，顧客のニーズにフィットした製品を作り上げるという場合には，この本質サービスと補助的なサービスの両面で自分たちの提供しようとしているものの本質がいったい何であるのかを明確にしておかなければならない。

1. 本質サービス

　顧客は，製品の物理的な特徴そのものを購入しているわけではない。その製品が顧客に満足をもたらす理由は，その製品が顧客に特定のサービスを提供しているからである。自動車であれば，移動するというサービスを顧客がその製品から引き出すことができるから，あるいはその自動車を所有していることで自分が金持ちだとかクルマ選びの趣味が良いなどということを示すことができるから顧客は自動車を購入するのである。だからマーケティング戦略を立てる際にまず初めに気を付けることは，製品を物理的な特徴で捉えずに，

その製品から顧客がどのような満足を引き出しているのかを考えることである。その際、モノそのものに注目するのではなく、製品とはそこからさまざまな満足を引き出すことのできるサービスの束なのだと考える必要がある。

たとえばマクドナルドのハンバーガーは、ハンバーガーそのものが美味しいから売れているのではない、という人がいる。マックが実際に顧客に提供しているのは、1分以内に食品が手に入るというスピードに平均よりちょっとだけマシな味のハンバーガーがついてくる、というサービスだというのである。

マーケティングの世界で使い古された例として口紅がある。女性は口紅の物理的・化学的な特性を購入しているのではない。彼女らは美しくなろうという夢を買っているのだ、というのである。だとすれば、口紅を作っている化粧品会社が本当に競争している相手は他の化粧品会社ばかりでなく、フィットネス・クラブやエステ・サロンとも競争していると考えなくてはならないだろう。教養を身に付けることで美しくなれるのだとすれば、本屋さんやカルチャー・スクールも競争相手である。

口紅の例で分かるように、顧客が本当に購入している本質的なサービスが何かを見つけ出すのに、本当の競争相手が誰かを考えるというのもひとつの有効な手である。たとえば都心のデパートは、他のデパートやスーパー、専門店と競争しているというよりも東京ディズニーランドと競争しているといわれる場合がある。このように考えると、都心のデパートが提供している本質サービスは、「探しているものが何でも見つかるという品揃えの豊富さ」ではなくて、「家族が全員楽しんで時間を潰せるレジャー空間」だということに気づくであろう。

近年では，CDとプリクラと携帯電話が競争している，という議論もある。ちょうどプリクラや携帯電話が高校生などの若者を中心にして流行していた1997年に，CDの売れ行きが著しく低下したのである。もちろんCDの売上高減少を説明する上では，たまたまヒット曲が少なかったから，という理由が最も説得力がある。しかし同時に，ちょうどその頃，若者たちの「暇つぶし」とか「寂しさをまぎらわす」という本質サービスを提供するものとして，携帯電話やPHS，プリクラ，たまごっちなどといった多数の競合製品が出現していたのである。

　携帯電話の場合，初期費用は親が負担しても，通話料は本人が自分のお小遣いで負担しているケースが多い。プリクラも1回あたり300円と安価であるが，女子高生のシステム手帳には200～300枚ものプリクラ・シールが貼られている。同じ高校生の財布から類似のサービスへと振り向けられる金額が一定であるとすれば，プリクラや携帯電話の人気によってCDの売上げが低下したという説にも説得力がある。ちなみに1998年にはB'zやGLAYが大ヒットを飛ばし，CDの売上げも復活する。しかし，プリクラ・ブームとなった1997年と翌98年ではブームの熱さが違う。あながち間違った解釈ともいえないのである。

2. 補助的サービス

　製品が提供しているのは本質サービスだけではない。製品にはそれぞれブランドがついているし，何らかのパッケージに入っているだろうし，おまけがついていることもあれば，無料で家まで配送してくれることもある。これらをすべて補助的サービスと呼ぶことにしよう。購入後にも保証やメンテナンス・サービスなどのさまざまな補助

的なサービスが提供される。これらの補助的サービスの質によって勝敗が決することもある。

　製品の**ブランド**が重要なことは言うまでもない。ブランドというと，日本人はブランドものに弱いとか，キャピキャピのギャルたちを思い浮かべる人も多いかもしれない。しかし「ブランドなんかアホらしい」などとバカにしてはいけない。人間にたとえて言えば，本質サービスはハート（心）で，ブランドは顔。顧客はこの顔を見て内面を察し，製品を購入する。だからできるだけ本質サービスをきちんと表現できるようなブランドを設定する必要がある。

　どんなに優れた本質サービスをもった製品を作ったとしてもブランドがなければ顧客はそれを識別できない。かつて，味噌を近所の味噌屋さんで計り売りをしていた頃，味噌にはブランドがなかった。消費者が味噌を買う時に目印にできたのは，赤味噌とか白味噌などの味噌そのものの種類と，その味噌の産地，味噌屋さんが店頭で言うお勧めのことば，などしかなかった。味噌をビニール袋に入れて，その袋の上に「マルコメ」とか「信州一」などの名前と，小坊主やかすりを着た少女の絵など，特徴的なブランドを付けることができるようになってから，初めてテレビ・コマーシャルに意味が出てきて，味噌の世界にもマス・マーケティングが生まれ，近代的な大規模の味噌メーカーが生まれるようになった。

　おまけというとグリコのキャラメルが有名だ。安っぽいプラスティック製のクルマなどが印象深いグリコのキャラメルも，最近では木製になっている。かなりコストがかかっているはずだ。この他にもポケット・モンスターのシールがついてくるふりかけと

か，お菓子のパッケージが機関車トーマスのおもちゃになっているものなど，子供向けの商品ではおまけが非常に重要なものが多い。本当はおまけに菓子がついてくると言った方が適切な場合すらある。しかし実際には，よくよく考えてみると，子供向けのお菓子以外にもさまざまな商品におまけがついてくる。パソコンを買うとトレーニング・ソフトがついてくるとか，ワープロ・ソフトや表計算ソフト，通信ソフト，簡単なゲーム・ソフトまで付いてきたりする場合がある。

故障したときに自分で修理することができない製品や修理費用が非常に高い製品の場合には，保証書やメンテナンス・サービスが付いているか否かが顧客の購入判断の重要な基準となるだろう。ビデオテープ・レコーダーやカメラのような製品では通常1年程度の保証期間が付けられている。また優良な住宅の場合には基礎と屋根に関しては10年保証が付けられている。プロダクトを考える場合には，ここまで広く考えておかないといけない。

補助的なサービスが非常にユニークだった例として，かつて1980年代に米国で一世を風靡したコレコ社の「キャベツ畑人形」という商品をあげることができるだろう。ピーク時にはアメリカで年間5億5000万ドル（当時のレートで1000億円以上）の売上げを達成した。この記録は，1990年代半ばに日本生まれの「パワーレンジャーズ」が10億ドルを達成するまでは歴代1位であった。ひとつひとつ皆顔つきの違う，決して可愛いわけではないこの人形が爆発的なヒットとなったのは，消費者が個性豊かな人形を欲しがったからという理由ばかりではない。コレコ社は，キャベツ畑人形を売る際にひとつひとつ養子縁組という形式をとって顧客に渡していたのである。顧客が人形を購入した1年後には，

「引き取って頂いたうちの子はいい子にしていますか」などというカードまでコレコ社から送られてくるのである。お母さんの真似をするのが大好きな子供たちはもちろんそれを好んだし、中にはひとりで100個もの人形を購入した女性さえいたという。また類似の例として、近年流行している「ファービー人形」にも血統証がついている。

　本質サービスと補助的なサービスの両方に関して考えるべき最も重要な点は、①本質サービスが顧客のニーズにフィットしているか否か、また、②本質サービスをより魅力的にするように補助的なサービスが作られているか、という点である。つまり、一番大事な本質サービスを本当に魅力的にするためのパッケージづくりやブランドづくりが行なわれているか、本質サービスにフィットするような配送やメンテナンス・サービスが提供されているか、といったことに注意する必要がある。

　補助的なサービスをすべてよりよいものにすれば、本質サービスがより魅力的に見えるというわけではないことに注意を促しておこう。安物のサンダルにカッコ良すぎるブランドがついていると、ますます安物に見えたり、かえって興ざめするであろうし、豪華なパッケージを付けるのは不必要であろう。大事なことは本質サービスが何であるかを根本的に問い直して把握し、その本質サービスを最もよく表現し、サポートするような補助的サービスを作ることである。

　類似のことは、人間が自分を売り込もうと思う時のことを考えれば良く分かるはずだ。自分自身のもっとも本質的な魅力が何であるのかも分からずに、ヘアスタイルや洋服に凝ったところで、「売れる」ようにはならないだろう。逆に、外見をまったく気に

しないのも結果としては損をしてしまうことが多い。自分自身の本質的な魅力をうまく演出するような外見を心掛けることが必要なのだ。

3. プロダクト・ミックス

製品の話が出たついでなので，プロダクト・ミックスということばを説明しておこう。ひとつの企業あるいは事業部は単一の製品だけを扱っているわけではない。たとえば，自動車会社は自動車という大分類を使えば単品しか製造・販売していないように見えるとしても，よくよく見ればさまざまな種類の自動車を取り扱っている。大衆車や小型車，スポーツ・カー，トラックなどのバラエティがあるばかりでなく，大衆車や小型車というそれぞれのカテゴリーの中にも，ベーシック・モデルから高機能モデルまで，さまざまなタイプの製品をそろえている。ひとつの企業あるいは事業部が取り扱う製品の組み合わせをプロダクト・ミックスという。

図 1-1 にプロダクト・ミックスの例が示されている。大衆車や小型車，スポーツ・カーなどはそれぞれ，ライン（製品系列）と呼ばれ，その数をラインの幅という。多数のラインから構成されていれば，幅の広いライン，逆に少数のラインから構成されていれば狭いラインというのである。特に，あらゆるカテゴリーをそろえている場合にはフルラインという。また，それぞれのラインの中にもさまざまなアイテム（品目）が含まれていることがある。自動車の場合であれば，基本設計が同じでもパワーステアリングが付いていたり，パワーウィンドウやサンルーフや ABS（アンチロック・ブレーキ・システム）が付いていたり，いなかったりといった違いが個々のアイテム間で見られる。このような同じラ

図 1-1 プロダクト・ミックス

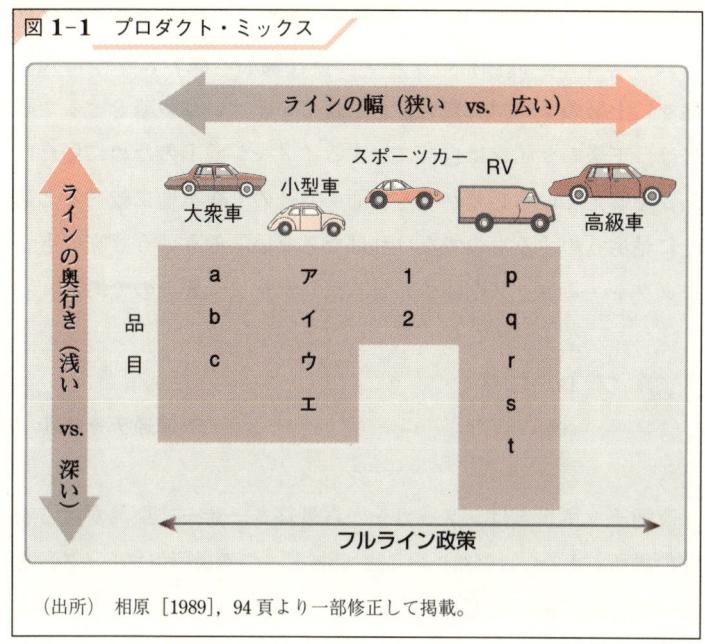

(出所) 相原 [1989], 94 頁より一部修正して掲載。

インの中で取りそろえられたアイテムの数をラインの奥行きと言い，アイテムの多い少ないを「深い・浅い」と表現する。

たとえば図 1-1 の場合，高級車を持たないのでフルラインではないが，それでも十分に幅の広いラインをもっている，と表現できる。また，リクリエーション・ヴィークル (RV) の部分で特に深いプロダクト・ミックスである，という特徴を指摘することもできるであろう。

実際にマーケティング戦略を考える上では，ひとつの製品だけでなく，プロダクト・ミックス全体への目くばりが必要である。このような目くばりを欠いてしまうと，自分の会社の製品同士が顧客ニーズの奪い合いをする共食い（カニバリゼーション。カニバ

第 1 章 マーケティング・ミックス

リと略される）が起こることもある。また，自動車で典型的に見られるように，低価格のラインで自社製品の顧客になった人を徐々に上級のクルマに買い替えさせていくという戦略をとるためには，下級のラインは自社に対するイメージ向上のために優れた品質を備えている必要がある反面，自社の上級車種に較べると適度に見劣りのするものでなければならない。そういう意味でもプロダクト・ミックス全体への目くばりが常に必要なのである。

2 プレイス

●流通チャネル

　流通チャネルとは，メーカーから最終ユーザーに製品が渡るまでの場所（あるいは経路）のことである。この場所（プレイス）あるいは経路に関する意思決定は，大きく２つに分けることができる。ひとつは商取引の流れとしてどのような経路をたどるのかという問題であり，もうひとつはモノの輸送・保管に関してどのような経路をたどらせるのかという問題である。前者を商流と呼び，後者を物流とかロジスティクスと呼ぶ。

　通常の製品は，メーカー→卸売業者→小売業者→消費者という経路をたどる。中には，１次卸，２次卸，など多数の卸売業者を通って最終ユーザーにたどり着く製品もあれば，メーカーから直接最終ユーザーに届けられる製品もあるだろう。

　プレイスに関して決めなければならないことは，基本的には次の３つだと考えておけばよい。

表 1-1　小売業の種類

有店舗小売業	無店舗小売業
① 百貨店 ② 専門店 ③ スーパーマーケット ④ ディスカウント・ストア 　（総合スーパー，食品スーパー，衣料品スーパー） ⑤ コンビニエンス・ストア ⑥ 一般小売店	① 自動販売機 ② 訪問販売 　（個別訪問，ホームパーティ展示販売など） ③ 通信販売 　（カタログ，TVショッピング，インターネット）

（出所）　相原［1989］，107頁より一部修正して掲載。

1. 小売業と卸売業

　まず第1に最終的にどのくらいの数の，どのようなタイプの「出口」を通じて消費者の手に製品を届けるか，ということである。ここで「出口」とは，最終的に消費者が直接製品を受け取る流通チャネルのいちばん消費者寄りの所，すなわち小売業のことだと考えて欲しい。表1-1には，この小売業の種類が示されている。百貨店や専門店，コンビニなどの有店舗のものもあれば，自動販売機や訪問販売，通信販売などの無店舗のものもある。個々の具体的な小売の業態については，常に新しいタイプのものが出現する可能性があるので，この表に掲載されている店舗形態以外のものは無いと考えてはいけない。たとえば，30年前であればコンビニなどほとんど無かったし，15年前であれば通信販売の経路としてインターネットと宅配便の組み合わせが使われることになる可能性を予見し得た人はほとんどいないであろう。

　この第1のポイントにおける主要な問題は，消費者と「出口」とがフィットしているか否かということである。ターゲットとす

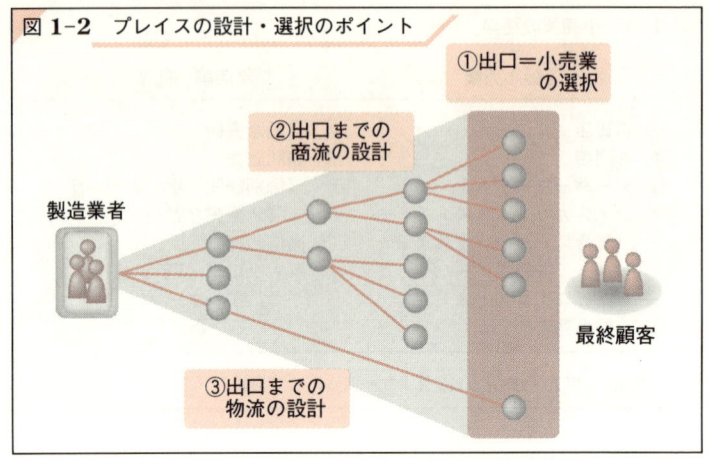

図1-2 プレイスの設計・選択のポイント
①出口＝小売業の選択
②出口までの商流の設計
③出口までの物流の設計
製造業者
最終顧客

る顧客の行動パターンと製品の特徴を考えれば，どのような小売業者を通じて消費者に製品を届けるべきかについて，常識的な答えまでは簡単に出るはずだ。たとえば，中学生から若い独身ビジネスマンまでを対象とした大盛のカップ麺であれば，全国のコンビニやスーパーに広く届けるのが定石であり，都心のデパートに並べることはないだろう。逆に，高級なバッグをスーパーやコンビニに置くのはバッグの高級イメージにとってマイナスであろうし，そもそも顧客が本物かどうかを疑ってしまうだろう。

第2のポイントは，その最終的な小売業者に達するまでに商売上どのような道筋をたどらせるか，ということである。図1-2で言えば，製造業者から小売業者に至るまでにどのような経路を製品にたどらせるかということを決めるのである。

一般論を言えば，最終的に商品を届ける範囲が広がれば広がるほど，流通経路も長くなる。この理由は簡単である。図1-3を見ていただきたい。メーカーも卸売業者も単独で処理できる卸先

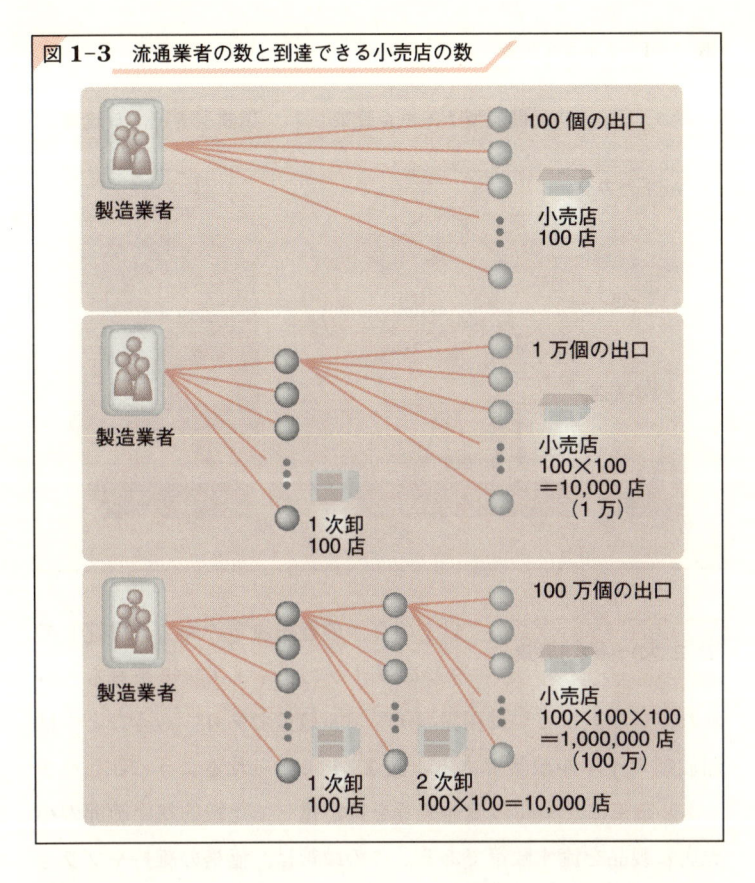

図1-3 流通業者の数と到達できる小売店の数

- 製造業者 → 100個の出口 / 小売店 100店
- 製造業者 → 1次卸 100店 → 1万個の出口 / 小売店 100×100＝10,000店（1万）
- 製造業者 → 1次卸 100店 → 2次卸 100×100＝10,000店 → 100万個の出口 / 小売店 100×100×100＝1,000,000店（100万）

の店数が100店だと仮定しておこう。最終的に100の小売店に製品を流す場合にはメーカーが直接小売店と取引すればよいが，10,000店になったとすれば1次卸が100店必要になり，100万の小売店に商品を流そうという場合には，1次卸を100店と2次卸を10,000店利用する必要が出てくる。

図 1-4 チャネル政策

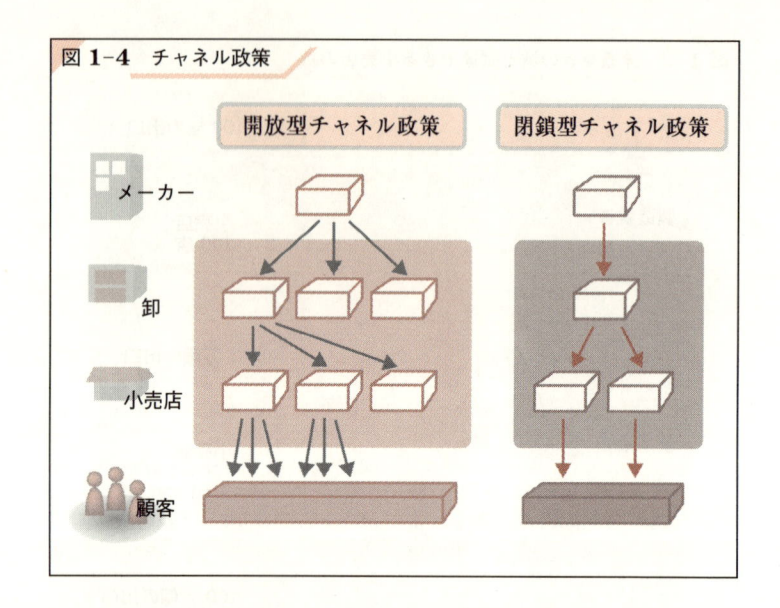

開放型チャネル政策　　閉鎖型チャネル政策

メーカー
卸
小売店
顧客

2. 2つのチャネル政策

以上の2つの意思決定の両方に関連して、2つのタイプのチャネル政策があると言われている。ひとつは閉鎖型チャネル政策であり、もうひとつは開放型チャネル政策である。図1-4に見られるように閉鎖型チャネル政策は、中間の流通業者を特定化して比較的狭い範囲の小売店に製品を流す政策である。この政策は、価格の維持やブランド・イメージの維持には適しているが、急速に大量の製品を販売するのには適していない。また、特定の限られたチャネルを使用するため、たとえば一般小売店からコンビニへと主たるチャネルが変わるなど、特定チャネルの陳腐化には対応が難しい。逆に開放型チャネル政策とは、中間の流通業者を特定化せず、幅広く製品を流す政策であり、大量販売には効果があるが、価格やブランド・イメージの維持は困難になる。たとえば安価なインスタン

ト・ラーメンを販売するには多数の小売店に品物を並べる必要があるから、開放型チャネル政策が採用されるであろうが、末端の小売店でインスタント・ラーメンが定価の何割引で売られるかをメーカーが管理するのはきわめて難しい。場合によってはスーパー・マーケットの特売で客寄せのために特価で売られることもあるであろう。

3. 物流システム

メーカーから最終顧客に製品が到達するルートに関して決めるべきことの3つめは、商取引の流れではなくモノそのものの流れ、つまり物流システムである。どこに倉庫を置き、どこでモノの仕分けを行ない、モノの輸送を何（トラックや鉄道、飛行機、船など）で行なうのか。この問題は技術の進歩によって時代とともに激しく変化している。トラックや鉄道の冷凍・冷蔵設備の登場によってどれだけ物流が変わったか分からないし、品物の流れの管理をコンピュータを使って大幅に自動化し、積み込みをロボットが行なう場合も近年では稀ではない。さらに近年では、コンピュータとソフトウェア、通信などの情報技術が発達してきたため、この情報技術を総合的に活用して、部品の調達とかスーパーの商品仕入れ、流通在庫などなど、モノの流れを抜本的に効率化する動きが活発化している。部品や原材料の調達から販売経路まで企業に関わるモノの流れ全体を情報技術の活用を通じて高度に効率化しようとする努力は、サプライ・チェーン・マネジメント（SCM）という呼び名で近年とくに注目されている。

技術の変化による物流システムの変革ばかりでなく、企業グループ内の多様な企業どうしで、あるいは一見競争業者に見えるよ

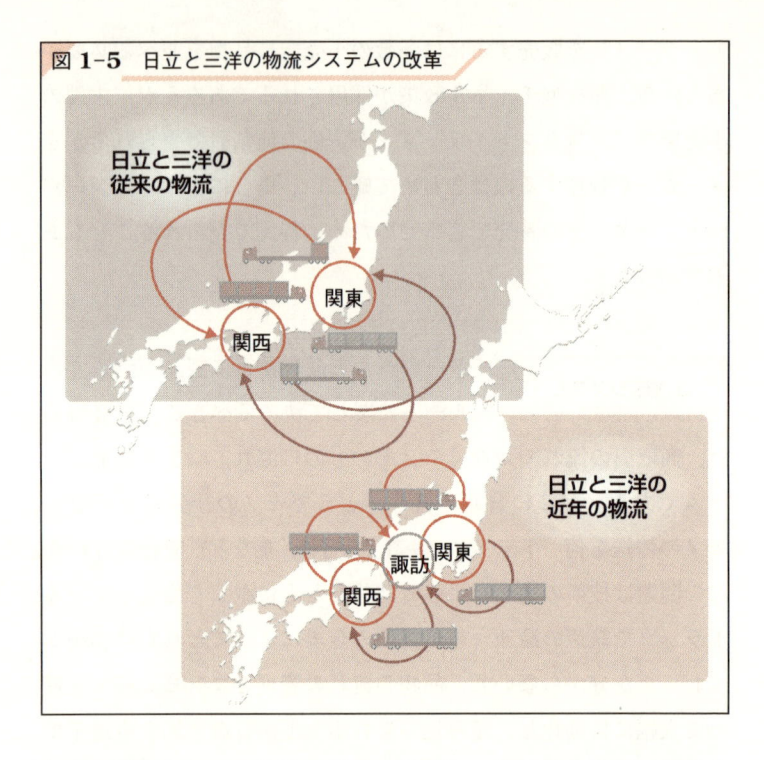

図 1-5　日立と三洋の物流システムの改革

日立と三洋の従来の物流

関東
関西

日立と三洋の近年の物流

関東
諏訪
関西

うな企業どうしで、物流に関して共同し、物流費を大幅に節約するという傾向も見られる。たとえば日立と三洋は、それぞれの物流子会社の共同を通じて物流の効率化を進めている。図 1-5 に見られるように、日立の物流子会社のトレーラーが関東から長野県諏訪まで運び、三洋のそれが関西から同じく長野県諏訪まで運ぶ。そこで両者の荷物を交換して日立のトレーラーは関東へ、三洋のそれは関西へ帰っていく。共同しなければ帰りはカラで帰ってくるケースもあることを考えれば、非常に効率的であることは明らかであろう。このような共同を通じて物流費が約 1 割削減できると言われている。「たかだか 1 割か」と思われるかもしれな

いが，物流費の1割は大規模な電機メーカーであれば数十億円の単位になると言われる。その意味ではこれは非常に重要なコスト削減手段なのである。

3 プロモーション
●顧客との情報のやりとり

プロモーションとは，企業が特定の製品に関する情報，あるいは自社に関する情報を顧客に伝える活動だと考えればよい。企業が顧客に情報を伝達する手段は基本的には次の4つである。

1. 広告・宣伝

まず第1に広告である。テレビのコマーシャルや新聞・雑誌，インターネットのホームページに掲載される広告がこれである。広告は単に有名なタレントを使って自社製品のイメージを消費者に植え付けているだけではない。たとえば近年の携帯電話では東京デジタルフォン（Jフォン）はタレントの藤原紀香を使い，日本移動通信（IDO）は俳優の織田裕二を使ったテレビ広告を大量に流している。藤原紀香の広告は，仮面を脱ぐと，あの人もこの人も藤原紀香だったというストーリーになっている。これは，「デジタルフォンのユーザーが実は多数いる」ということ，つまり加入して安心なメジャーなサービスであることを伝えようとしているのである。また織田裕二の広告は，IDOの音質の良さを徹底してアピールしている。広告のメッセージがきちんとねらい通りの顧客にねらい通りに伝わる必要がある。

タレントの選び方も顧客にフィットしている必要がある。カル

シウムを強化した「毎日骨太」という牛乳の主たるターゲットは，カルシウム不足で骨が弱くなるのを気にしている50代〜60代の女性である。「毎日骨太」のテレビ広告には，彼女らに知名度と好感度が高い女優の吉永小百合が使われ，彼女がジョギング後に「毎日骨太」を飲んで健康を維持しているイメージがテレビを通じて流されている。もちろん50代〜60代の女性に人気が高そうなテレビ番組や放送時間帯が選ばれている。

また広告媒体は，製品の特徴とターゲットとする顧客の特徴にフィットするように選ぶ必要がある。たとえばサントリーの「無頼派」というウィスキーは，テレビや新聞などで広告を行なわず，同社のホームページにのみ広告が出ている。「ハードボイルドな人生を生きることに熱いこだわりをもつ消費者層」をねらっているため，あえてテレビ広告などの一般大衆向けの媒体を避けたのである。

広告のメリットは明らかに広い範囲に伝達可能だということである。だが逆に広告は企業から消費者への一方通行の情報伝達になってしまうというデメリットもある。テレビや新聞の広告相手に，「どうして？」などと質問しても無意味である。また，テレビ広告は15秒とか30秒程度の時間しかとれないし，新聞・雑誌の広告でも伝えることの可能な情報量には限りがある。よほど長文の広告を新聞・雑誌に載せない限り，製品の細かい説明は無理であり，顧客が本当に疑問に思っていることにケースバイケースで対応することもできない。

2. 販売員

これに対して2番目のプロモーション手段である販売員活動は狭い範囲にしか情

報を伝えることができないが，顧客との相互作用を行なうことができるというメリットがある。いわゆる営業マンは，単にモノを売っているのではなく，企業と顧客との情報のやりとりを担っているのだと考えなければならない。自分が顧客の立場に立てば，○○の営業マンは親切で商品知識が豊富だとか，逆に不親切で何も知らないといった事実だけで，その会社全体のイメージを決めてしまうことが多いのは良く分かることであろう。企業全体から見れば，営業マンは行動によって企業イメージを顧客に伝え，顧客のニーズと自社の製品の問題点を企業に持ち帰って整理するという重要な機能を果たしているのである。

3. 広報活動

第3に広報活動がある。広報とは，カネを払わないでテレビや新聞，雑誌などの媒体に自社の記事や製品の紹介を掲載してもらうことである。もちろんおカネを払わないのだから，何でもかんでも記事として紹介してもらえるわけではない。新製品として非常にユニークであったり，珍しい企業の特徴であれば，マスコミの側としてもニュースとして報道する価値がある。そういったニュースバリューのある事実をマスコミに伝えて，記事として紹介してもらうのが広報である。たとえば，赤ワインには動脈硬化予防効果があり，白ワインには大腸菌などを殺菌する効果があることがメーカーや大学の研究室によって明らかにされた。これらの効果の発見は，ワイン・メーカーが自社でお金を出さなくても新聞などを通じて報道してもらえる。

広報のメリットは「安上がり」であることばかりではない。自分自身で「この商品はいいですよ」とか「ウチの会社はいい会社

ですよ」と主張するのではなく，第三者であるマスコミがそのように伝えてくれるということがきわめて重要である。セールスマンやテレビ・コマーシャルが自分の会社の製品を悪く言うわけはない。「いい製品だ」と言うのは当たり前である。だが，第三者のマスコミがいってくれれば，一気に信憑性が高まる。これも自分のことを考えれば，すぐに納得がいくはずだ。「俺っていいヤツなんだ」などと自分で言っても，誰も相手にしてくれないが，「あいつはいいヤツだ」と第三者が言ってくれれば多くの人から本当にいい人間だと思ってもらえるであろう。もちろんその第三者が周りの人間から信頼されている必要がある。マスコミに紹介される新製品の場合も，信頼されているテレビ局や新聞，雑誌などに紹介してもらえる方がもちろん望ましい。

ついでながら，口コミによる製品情報の伝達は企業と顧客の間のコミュニケーションではなく，顧客間のコミュニケーションではあるが，広報と類似の機能をもっている。つまり企業が直接カネを支払っているのではないため非常に安上がりであると同時に，その口コミ情報は受け取る側に高い信憑性をもっていると判断されやすいのである。

口コミが大ヒットを支えた例として記憶に新しいのは，オメガ・プロジェクトの製作した映画「リング」・「らせん」である。事前の広告はほとんど行なわなかったが，女子高生を中心にして「ものすごく怖い」という情報が口コミで伝わり，180万人もの観客を動員し，配収10億円を達成した。かつては女子高生の口コミは学校を媒体としていたので伝わり方が遅かったが，最近の女子高生は携帯電話で話をするので口コミの伝わり方も非常に速い。「リング」と「らせん」は劇場公開が始まってから彼女らの

口コミが始まり、公開終了前までに口コミの効果でずいぶんお客さんを集めたという。

　もちろん逆に自社製品にとっての悪い情報であれば、企業側がその口コミを抑えようとしてもなかなか思い通りにいかない、というやっかいな面もある。かつて大ヒットとなったホームベーカリー（自動パン焼き器）は、当初は主婦の間で焼きたてのパンを配るという一種の口コミによって爆発的にヒットしたが、いったんブームが去ると「ジューサー・ミキサーと同じようにすぐに物置に入るわよ」という逆の口コミが生じて売上再浮上には時間がかかった。

4. 販売促進

　4番目は狭い意味での販売促進である。販促（はんそく）と省略されて使われる場合が多い。英語にするとプロモーションになってしまうので、混同しないように「狭い意味での販売促進」とか販促と呼んでおこう。販促には、試供品（サンプル）の提供や景品付きのセール、クイズやアンケートによる景品プレゼント、テレホンカードやボールペンなどの記念品贈呈、各種イベントなどなど多様なものが含まれる。商品の知名度が低いのでとにかく名前を憶えてもらいたいという場合や、シェアが低いのでとにかく一度使ってもらおうという場合に販促が大規模に行なわれることが多い。

　たとえば、ペプシ・コーラに「スター・ウォーズ」のキャラクターを使ったボトル・キャップがついてくるというキャンペーンがこの典型であろう。1997年まではコカ・コーラの85パーセントに対して10パーセントしかなかったペプシのシェアは、98年に13パーセントを超え、99年には20パーセントに達する見込

図1-6 プッシュ戦略とプル戦略

プッシュ戦略　　　　プル戦略

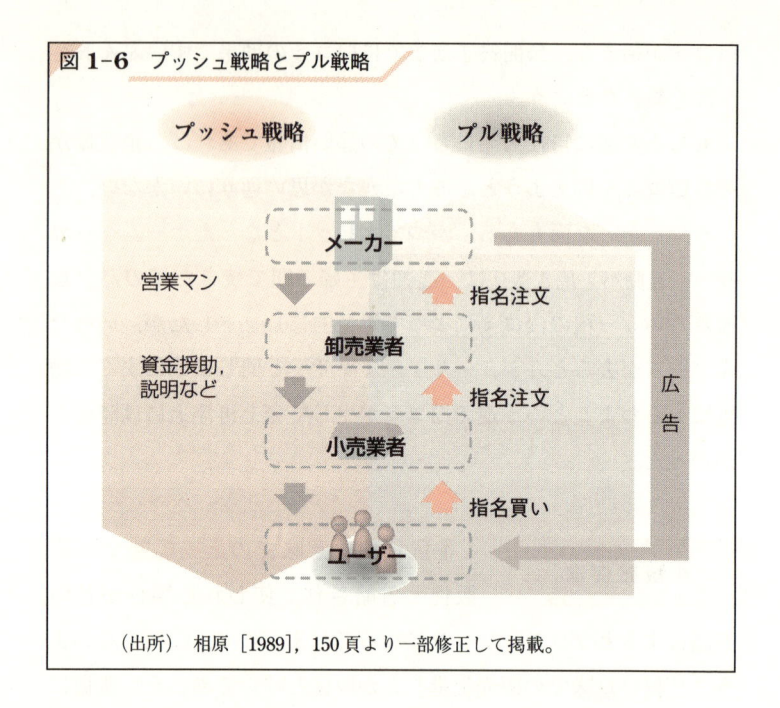

メーカー
↓　　　　↑ 指名注文
営業マン
卸売業者
↓　　　　↑ 指名注文
資金援助，説明など
小売業者
↓　　　　↑ 指名買い
ユーザー

広告

（出所）　相原[1989]，150頁より一部修正して掲載。

みである。

5. プッシュとプル

広い意味でのプロモーションに関して，2つの対照的な政策あるいは戦略があると言われている。ひとつはプッシュ戦略であり，もうひとつはプル戦略である。図1-6に両者の違いが示されている。プッシュ戦略とはメーカーの営業マンが1次卸や2次卸に対して説得を行なったり，応援を行なったり，販売促進費などを使ってさまざまな資金援助をして，自社製品を顧客の側に押（プッシュ）していく戦略である。プル戦略とは，大規模な広告を行なってまず最終消費者にブランドを認知させ，彼らが小売店に行って指名買いを

するようにしむける方法である。指名買いに来られた小売店は2次卸に対して指名注文し，2次卸は1次卸に，1次卸はメーカーに指名注文する。こうしてメーカーの製品は末端の消費者の側から引っ張られようにして（プル）動いていくのである。

4 プライス

●価　格

　価格について決めなければならないのは，①定価（希望小売価格），②割引率，③支払い期間やローンの条件などである。これらを決める際に目くばりしておくべき要因は基本的には3つである。
 (1) その製品のコスト
 (2) 競争相手が設定している価格
 (3) 顧客の財布の具合

　一概にコストといっても，今現在のコストを指すとは限らない。製品の単位当たりのコストは，その生産量が多ければ多いほど低くなるし，発売直後よりも1～2年作り続けた後の方が習熟していて安くなる。だから，コストに基づいて価格を設定するとしても，そのコストが何カ月後の，どのくらいの生産数量の時のコストかを考えておかなければならないだろう。

　競争相手と顧客の財布を考えたら，安ければ安いほどいいに決まっている，特にバブル崩壊後の不景気のときには，安さ以外にウリはない，というのは早計である。不景気の時でも売上げを伸ばしている高級なブランドものもあるからである。また，高品質の高級品はそれなりに高い価格を設定しなければ，顧客はその製

品の「高級感」を認識できないという可能性もある。マーケティング・ミックスの他の要素と同じように，価格もまた製品の本質サービスをいかにうまく表現し，サポートするかという視点から設定される必要がある。たとえば4万円〜5万円程度の価格が設定されているミニコンポと，スピーカー2本だけで120万円のオーセンティック社の製品とでは異なる本質サービスを売っていて，その本質サービスが異なるが故に価格も異なるのだと考えるべきであろう。

　価格を安くしても良い場合は，①他企業がその低価格に追随できないか，②価格を低くすることで市場が拡大して業界全体の市場規模が大きくなるか，どちらかであろう。そうでなければ，価格を引き下げた分だけ自社の利潤が減少してしまう。低価格に他企業が追随できない理由には，他企業よりも自社の方がその製品の生産に熟練しており，優れた生産技術をもっている場合や，他企業がブランド・イメージの低下を恐れて価格を下げられない場合などがある。市場が広がるケースとしては，製品が新しく，まだ多くの顧客が高くて買えないと思っている時に，思い切った価格低下によって市場が爆発的にふくらむ場合などが考えられる。

　たとえば，1970年代の初めまでは1課に1台だった電卓が，カシオミニの登場によって1家に1台，さらには1人1台にまで普及した。少なくともカシオが1972年から73年までに行なった低価格化によって家庭用や個人用の市場が生まれ，全体として市場が拡大したのである。

　価格低下によって製品の用途が広がる場合もある。かつて紙おむつが高かった頃は，旅行に行く時にしか使われなかったが，価格が下がったことで布おむつに取って代わって日常的に使われる

ようになった。

　しかし，繰り返しになるが，業界の皆が同レベルの生産技術をもっていて，しかも市場規模が大きくなるアテもないのに自ら価格値下げに踏み切るのは自殺行為である，という点にはくれぐれも注意しなければならない。

5　マーケティング・ミックス

● 4Pの内部のフィット

> **1. ヨード卵「光」のケース**

　4つのPはそれぞれが互いに他とフィットしている必要がある。これらがフィットしていないと，短期的には成功したとしても，長期的に成功を持続することはできない。たとえば，実際は低品質の製品であるのに，あたかも高品質の製品であるかのようなプロモーションを行なって高価格を設定したとして，短期的に消費者をだますことができても，長期的には成功しないだろう。低価格で大量に販売しなければならない製品を閉鎖型チャネルで販売すれば，十分な売上げを確保できないだろうし，ブランド・イメージの大切な高価格品に開放型チャネル政策を採用して一時的に莫大な利潤を獲得したとしても，いつかブランド・イメージの崩壊と値崩れが起こるであろう。4つのPを組み立てる時のカギは，まず顧客のニーズと製品の本質サービスをフィットさせること，次に製品の本質サービスと顧客ニーズのフィットを強化するように補助的サービスや流通チャネル，価格を決定することである。

　具体的な例で考えてみよう。ヨード卵「光」という鶏卵を食べ

ヨード卵「光」

たことのある人も多いであろう。食べたことのない人でも,「光」というシールの貼られた茶色のタマゴが6つパックに入っているのをスーパーで見かけたことがあるはずだ。このタマゴは日本農産工業という家畜用配合飼料などを製造している会社が開発し販売しているものである。いまではこの種の特殊なタマゴのトップブランドであり,年間130億円もの売上げをあげている。

ワカメなどに含まれるヨードをニワトリに食べさせると,そのニワトリが産んだタマゴにヨードが含まれるようになる。このタマゴを毎日食べていると不足しがちなヨードが摂取でき,しかも1回ニワトリという生体を通じて摂取・濾過されているので人間がより安全で有効にヨードをとることができ,高血圧の解消など,健康を増進するのに良い,というのがメーカーの主張である。つまり単なる食品というよりも,食品とクスリの中間のようなプロダクトである。そのようなプロダクトを購買するであろうターゲットは,若干経済的な余裕をもった健康意識の高い家庭の主婦ということになるであろう。

このヨード卵「光」を売り出す際に,日本農産工業はまず価格を定価1個50円(6個入りパックで300円)に設定した。タマゴ1

個に 50 円という価格はかなり高い。しかも,「光」は固定価格であるという点がきわめて特徴的である。ふつうのタマゴは相場に応じて価格が変動する。しかしヨード卵「光」は,そのプロダクトの特徴がクスリという面をもっているので,毎日価格が変動するのはおかしい。毎日毎日食べ続けて健康を増進するクスリのようなもの,というプロダクトを表現するためには,高めの固定価格というプライスが実にフィットしているのである。

　当初,スーパーはこの固定価格というのを受け容れてくれなかった。スーパーは特売の目玉にする場合など,店頭での価格を変える自由度が欲しかったからである。しかし日本農産工業でヨード卵「光」のプロジェクトを推進していた担当者は固定価格に固執した。それがプロダクトを適切に表現していたからである。そのため当初はスーパーにまで広く商品を流すという開放型チャネルをとらず,むしろ商店街の八百屋さんなどを 1 軒ずつ説得してヨード卵「光」を店頭に置いてもらうことにした。プレイスについては閉鎖型流通チャネルを選択し,その後徐々に広げていくという手を選び,プロモーションについては八百屋さんなどを 1 軒ずつ説得していく説明重視のプッシュ戦略を選択したのである。また,派手なテレビ・コマーシャルなどをほとんど行なわず,むしろ大学の医学部などでヨード卵「光」の健康促進効果を研究してもらうようにした。その結果,大学の医学部から年に 1 件ずつくらい研究成果の発表があり,その成果発表に注目したマスコミが新聞報道などを行なってくれた。その意味では,この製品に関しては説明重視のプッシュ戦略と広報重視のプル戦略が混在していた。

　この例でも,プロダクトとプライス,プレイス,プロモーショ

ンといったマーケティング・ミックスが全体にフィットしていて，しかもそれが健康意識の高い主婦たちに対して全体として明確なイメージを伝達できていることが分かるであろう。ついでながら，当初から派手なテレビ・コマーシャルを行なわなかった理由には，ヨード卵「光」がそう簡単には増産・減産できない製品だという点も関係している。ヨードを含んだ飼料を食べ続けてきたニワトリというのは，そう簡単に増やせるものではない。また，逆に売れなくなったからといってニワトリを処理していくのも難しい。それ故，一気に売れ始めてしまうようなマーケティング戦略を採用せず，徐々に増産していけるようなマーケティング戦略を採用したのである。その意味では，マーケティング戦略は単に顧客のニーズとフィットしているばかりでなく，生産部門の特徴ともフィットしていなければならないのである。

2. ルイ・ヴィトンのケース

1835年に家出をした14歳の少年がパリの荷造用木箱製造職人の下に奉公人として置いてもらうことになった。「1日2食の食事とわずかな給金，そしておがくずを枕に仕事場で寝る」というのが条件であった。この少年が33歳で独立し，自ら作り始めたのがルイ・ヴィトンの旅行用バッグであった。頻繁に旅行をする人のために作られた彼のバッグは，丹念な縫製と全天候型の生地などによって他のバッグの何倍も長もちする高品質の品物であった。偽物対策用に彼の息子のジョルジュ・ヴィトンが自分の父親の頭文字をとって考案したLとVのロゴ・マークは，高級品としてのブランド・イメージを確立するのに役立つことになった。頻繁に世界を駆け巡る人のための，丈夫で長もちする機能

的なバッグだったルイ・ヴィトンがまさにブランド品になる素地はこの時に作られたといえるだろう。

　1976年，日本国内の並行輸入業者と模造品の氾濫(はんらん)に頭を悩ませたルイ・ヴィトン社は，自ら販売にのりだすことを決定した。卸(おろし)を使わず，すべての製品をルイ・ヴィトン直営もしくは正規契約の店舗で販売することにした。デパート内に置かれるような正規契約の店舗は，直営店と同じインテリアとマーケティング・ノウハウに従うという契約を交わさなければならなかった。完全な閉鎖型チャネル政策をとったのである。

　プロモーションもヴィトンの高級品イメージを維持するために配慮されている。たとえばデパートのお中元やお歳暮セールの時期には，デパート側は「広告掲載は無料だし，このシーズンに載ると売行きも違いますよ」と主張するが，ヴィトン側ではこの広告掲載を拒否している。ただし，偽ブランドに対する批判広告などはしばしば新聞等に出されている。また偽ブランド品に関する事件がマスコミに報道されることもあり，偽ブランド側がヴィトンの広報活動を行なってくれているという皮肉な事態も生じたりする。店舗では製品を顧客が直接手にとれないような場所に配置してある。販売員にとってもらうしかない。製品をじかに触れて品質を確かめようとする顧客と販売員とのコミュニケーションを促進するためである。

　もちろん価格は高い（数千フラン≒12万～13万円）。通常のバッグに比べれば何倍もする。また同社の価格設定は地域ごとに若干上下する点も特徴である。フランス本国のパリ本店での価格を100とすると，他のヨーロッパ諸国では115，ハワイで130，日本では140程度である。つまりフランス本国と日本の価格比は，

1対1.4と日本の方が高めに設定してある。偽ブランドが大量に出現しないように高すぎてはいけないし、かといってフランスに出かけた日本人旅行客が得した気分にならないのも困る。1対1.4というのは、この両方を考慮した価格設定であろう。

このようなマーケティング・ミックスを構築することで、1981年における同社の総売上げに占める日本を中心とした極東の売上げは17.3パーセントだったものが、1983年には42.7パーセントへと増大している。日本におけるブランド・イメージの確保と価格政策がもたらしたものは、しかし、日本国内での売上増大だけではない。フランスのパリ本店での売上げの約7割が日本人観光客によるものだという。1.4倍の価格を設定している日本市場は、いわば大きな広告塔としての役割も果たしているのである。

第2章 ターゲット市場の選定

セグメンテーション

1 セグメンテーションの定義

1. セグメントとセグメンテーション

マーケティング戦略を考える上でまず初めに理解しておく必要があるのは，市場が同質的ではない，ということである。人間には一人ひとりその人の個性があり，好みがある。だから，顧客のニーズは皆同じではない。買い手が企業の場合でも，それぞれの企業にはやはりそれぞれの企業の個性があり，他の企業とは違う事情がある。しかし，顧客が皆一人ひとり違ったニーズをもち，企業がそれぞれ別のニーズをもっているからといって，それぞれのニーズに合わせてひとつずつ違った製品を作っていては

高価になりすぎてしまう。特注品を買える人は相当なお金持ちだけである。

　幸いなことに，人間や企業はそれぞれ個性があるけれども，何らかの特徴に注目してみると似ているものを見つけ出すことができる。人間でいえば，男と女という2分類をしただけでも，それぞれさまざまな共通の特徴を見いだすことができる。もちろん女性も男性も一人ひとり個性があるけれども，雑誌『コスモポリタン』を買う男性は例外的であろうし，週刊『プレイボーイ』を買う女性も少ないはずである。

　あるいは，特定の年代に注目して団塊の世代だとか，新人類，バブリーマン（バブル景気時代に入社した人たち）などに分類することもできるだろう。団塊の世代が皆同じような人間ばかりであるわけではないし，新人類やバブリーマンだって一人ひとり皆個性がある。しかし，そのような個性を超えた共通の特徴もこれらの集団の人々はもっているのである。

　相手が企業でも同じことがいえる。東京の羽田近辺にある中小企業といえば，それぞれ異なる製品・サービスを作り出していても，やはり類似の特徴をもっている可能性が高いし，全国どこへいっても精密加工が得意な企業には共通の特徴を見いだすことができるように思われる。

　このように，市場を構成する人々（あるいは企業）を，何らかの共通点に着目して，同じようなニーズをもつ市場部分（セグメント）に分類すること，すなわち「マーケティング・ミックスに対して類似の反応を示すような同質的な市場部分に分解すること」をセグメンテーション（市場細分化）という。ここで分解された市場のそれぞれを市場セグメントといい，自分たちが主として狙

っている市場セグメントを**ターゲット・セグメント**あるいは**ターゲット市場**という。ちなみにセグメントとは部分のことである。かつて中学時代に数学の時間に出てきた「線分」もライン・セグメントである。

2. 化粧品市場のセグメンテーション

「マーケティング・ミックスに対して類似の反応を示すような同質的な市場部分に分解する」というのがセグメンテーションの定義である。これだけではなかなかイメージがわきにくいかもしれない。この種の議論は具体的な例を見てしまった方がはるかに分かりやすい。具体例として**図2-1**の資生堂による女性用化粧品市場のセグメンテーションを見てみよう。

この例では年齢という基準によって化粧品のユーザーを5つのセグメントに分解している。女の子は幼稚園の頃から母親の目を盗んで口紅をしてみるなどの悪戯をするが，本格的に化粧品に関心をもって買い始めるのは15歳くらいからである。ここで初めのセグメントが15歳から17歳（ステージI＝疑似ユーザー期）となっているのは，ちょうど高校生の世代ということであろう。化粧をして登校するのを許さない学校が多く，それがかえって彼女らの好奇心をあおるのだろう。下校後の喫茶店や，最近では電車の中で口紅をつけている女子高生を見かけることがある。幼稚園児は自分のお金を自由に使えるわけではないが，高校生くらいからはお小遣いを自由に使えるので，企業がお客さんとして考えることができるセグメントになるのである。ただし，本格的に化粧品を使い始める時期ではないので，疑似ユーザー期と呼ばれるのである。

図 2-1　女性の化粧ライフスタイル

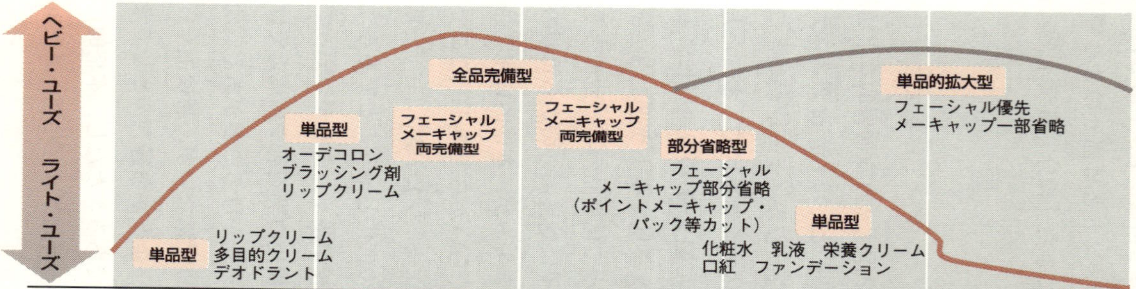

区分	ステージⅠ (疑似ユーザー期)	ステージⅡ (ヘビーユーザー期)	ステージⅢ (ユーザー下降期)	ステージⅣ (転換期)	ステージⅤ (シルバー期)
	単品型 リップクリーム デオドラント	単品型 オーデコロン ブラッシング剤 リッククリーム	フェーシャル メーキャップ 両完備型 全品完備型	部分省略型 フェーシャル部分省略 メーキャップ (ポイントメーキャップ・ バックカット) 化粧水 乳液 栄養クリーム 口紅 ファンデーション	単品拡大型 フェーシャル優先 メーキャップ部省略
年齢	15～17歳	18～24歳	25～34歳	35～54歳	55歳以上
意識	好奇心は人一倍強い	プロモーションへの関心は強い	節約志向が最も高い	再び高額志向が強まる	化粧意欲は比較的弱い
行動	●口コミ、デモ効果は大きい ●衝動買い・目的買い志向が強い ●おしゃれ、ファッション願望も強い ●ただし欲求次第で健康優先、素顔優先 ●疑似的化粧	●購買態度もきわめて積極的 ●化粧関心度も高く、流行もおしゃれ情報のひとつ ●イメージ訴求が可能 ●商品に対する許容単価も高い	●おしゃれ行動が大きく制約される既婚者急増 ●メーキャップが身だしなみとして完全定着 ●化粧品に対する高額志向は弱い	●化粧品購入の際、カウンセリングを必要とする人が増える ●肌の手入れに再び充足を求める人が増える ●化粧に関心のある人、ランクダウンする人、おしゃれにも興味を失うなどが明確化 ●社会復帰が始まる	●若い頃から、化粧品を使用していない人が比較的多い ●肌を清潔にすることを目的に、フェーシャル中心の手入れの人が多い

ヘビー・ユース ← → ライト・ユース

(出所) 相原 [1989], 50頁より。

高校を卒業して就職したり，短大や大学へ進学すると化粧品の使用量は一気に増える。高校卒業後の初めてのクラス会に行ってみると，あまり上手とは言えない厚化粧の女の子たちに驚いてしまった，というのが多くの男性たちの共通の思い出になっているのではないだろうか。ところが，この18歳から24歳までのヘビー・ユーザー期（ステージⅡ）を通じて彼女らの化粧のテクニックは洗練されていく。収入も十分にある年齢なので，化粧品に対する出費も多い。こうして化粧品に関する知識は豊富になり，色々な小道具をそろえ，さまざまなワザを身に付け，本当に美しく化けるようになる。

　25歳を過ぎると既婚女性が急速に増え始める。最近では初婚年齢が高くなってきており，結婚しない女性や，結婚しても子供を持たない家庭が増えるなど，もう少しステージⅡを広くとらなければならないか，あるいは年齢という基準だけでは十分にセグメンテーションができないケースも増えてきてはいる。それでもまだ，ここでの年齢によるセグメンテーションはおおざっぱには成立しているであろう。このステージⅢはユーザー下降期と名づけられている。その理由は結婚して主婦になった人たちを頭に思い浮かべれば分かるはずである。主婦となると，節約志向が強くなる人が多く，独身時代ほど高額の出費は控えるようになる。上手な化粧はするが，ほどほどに地味になる人が多い。子育てに追われるようになると，赤ちゃんがお母さんの顔や手を舐めるので化粧をひかえるという人や，忙しくて化粧どころではなくなるという人も多くなるだろう。

　子育てに追われていたお母さんも，35歳あるいは最近では40歳頃からであろうか，子供が小学校に上がり，若干の暇が出てく

る。そのため，パートに出かけたり，カルチャー・スクールなどに通う人が増えるのだろう。ここがステージⅣの転換期である。この年代では化粧に興味を失う人が出てくる一方で，パートやカルチャー・スクールなどの「外出」機会が多くなる人は身だしなみに再び注意を払うようになる。もちろん加齢と共にお肌のお手入れに余念のない人も増える。また夫の給料が上がるか，自分のパート収入があるかのいずれかであれば，やや高めの化粧品を買うこともできるようになる。

　最後にステージⅤのシルバー期に入る。最近の女性は50代でも美しくしている人が多くなったように思われるが，55歳を超えると，ほとんど化粧とは肌を清潔にすることと同義だと思っている人も多くなる。もちろん，中にはお洒落なおばあちゃんもいる。これからは，このお洒落なおばあちゃんが増えるという人もいる。たしかに，今後，高齢化社会を迎えるにあたって，このセグメントで売上げを伸ばせるか否かは化粧品会社にとって重大な問題であろう。

　もちろんここで説明してきたステージⅠ～ステージⅤはだいたいの分類であり，この世代はこういう人間ばかりだ，と主張しているわけではない。最近では25歳を過ぎても，あるいは30歳を過ぎても結婚しない女性も増えている。それゆえ，この図で示された年齢を超えてもヘビー・ユーザーであり続ける女性も多いであろう。また逆に，15歳くらいで既に化粧品のヘビー・ユーザーだという人もいるだろう。しかし，大まかに捉えると，18歳から24歳の世代はプロモーションへの関心が強く，高額の化粧品でも購入するとか，25歳から34歳の世代は節約志向が強くなる，などの傾向は認められるだろう。少なくとも年齢という基準

でセグメントを切り分ける作業を行なうことによって、そうしないよりも、顧客のタイプを推測する確率が上がれば良いのである。

このようにして分けられたそれぞれのセグメントは、同じマーケティング・ミックスに対して類似の反応をする人々が多いと考えられる。たとえば、18歳から24歳の女性たちが観るテレビ番組と25歳から34歳の女性たちの観るテレビ番組はおのずと異なるであろう。『Can Can』を読む女性はある世代にかたまっているだろうし、その世代は『ヴァンサンカン』を読む世代とはやはり異なる。価格の低さに反応しやすい人と反応しにくい人、近所の化粧品店で化粧品を買う人とデパートで化粧品を買う人、あるいはスーパーで化粧品を買う人など、あらゆる世代に一様に存在するというよりも、特定の世代に比較的多く存在すると考えられる。

このようにある程度同質的なセグメントに分けると、そのセグメントに対して、より効率的かつ効果的に働きかけることができるようになる。だから、できるだけ、同一セグメント内は同質的で、セグメント間では異質な反応をするようなセグメンテーションを行なうことが重要である。その分だけ効率的かつ効果的なマーケティングを行なうことができるのである。

2 セグメンテーションの基準

同一セグメント内で同質的、セグメント間でできるだけ異質な反応をするようにセグメンテーションを行なうには、いったいどうしたら良いのだろうか。これには市場を読む視点、あるいは社会の変化や社会の仕組みを洞察する優れた視点をもつ必要がある。

表2-1 消費財市場の主要セグメンテーションの軸

軸	典型的な区分
地理的軸	
地域	関東, 関西, 北海道, 九州…
都市規模	5000人未満, 2万人未満, 5万人未満, 10万人未満, 50万人未満, 100万人未満, 400万人未満, それ以上
人口密度	都会, 郊外, 地方
気候	太平洋側, 日本海側, など
人口統計的軸	
年齢	6歳未満, 6～12歳, 13～15歳, 16～18歳, 19～22歳, 23～28歳…
性別	男, 女
家族数	1人, 2人, 3～4人, 5人以上
家族ライフサイクル	若年独身, 若年既婚子供なし, 若年既婚最年少子供6歳未満, 若年既婚最年少子供6歳以上, 高年既婚子供あり, 高年既婚18歳以下の子供なし, 高年独身, その他
所得	年収300万円未満, 300万～500万, 500万～800万, 800万～1000万, 1000万～2000万, それ以上
職業	専門職, 技術職, 管理職, 公務員, (企業, 不動産)所有者, 事務職, 営業マン, 職人, 工員, 運転手, 農民, 定年退職者, 学生, 主婦, 無職
学歴	中学卒または以下, 高校在学, 高校卒, 大学在学, 大学卒
社会階層	下級階級の下位, 下級階級の上位, 中流階級の下位, 中流階級の上位, 上流階級の下位, 上流階級の上位
心理的軸	
ライフスタイル	伝統的タイプ, 快楽主義者
性格	社交的, 権威主義的, 野心的
行動面の軸	
購買機会	定期的機会, 特別機会
追求便益	経済性, 便宜性, 威信
使用者状態	非使用者, 旧使用者, 潜在的使用者, 初回使用者, 定期的使用者
使用頻度	少量使用者, 中程度使用者, 大量使用者
ロイヤリティ	無, 中間, 強, 絶対
購買準備段階	無知, 知っている, 知識あり, 興味あり, 欲望あり, 購買意欲あり
マーケティング要因感受性	品質, 価格, サービス, 広告, セールス・プロモーション

(出所) Kotler [1980], 邦訳, 119頁より一部修正して掲載。

優れたマーケター（マーケティング担当者）は通常優れた社会の観察者であり，鋭い洞察力をもっている。鋭い観察力と洞察力を養うには日ごろから社会について思いをめぐらせ，人間の本質を問い，できるだけ難解な書物を多数読破すると共に，週刊誌なども読みあさる必要がある。

こういった日ごろの鍛練については読者諸兄にお任せするとして，ここでは一般に使われているセグメンテーションの基準を紹介しておこう。難しい言葉で言うと，これらの基準のことを次元と言ったりする場合があるが，ビジネスマンたちは日常的に「軸」という言葉で呼ぶことが多いようだ。X軸とY軸という2本の軸で平面を4分割するように，たとえば性別という軸と成年－未成年という年齢軸を組み合わせて人類を4分類することができる，と考えれば良い。本書でも，以後，軸という言葉を使うことにしよう。

表 2-1 には消費財市場で一般に使われるセグメンテーションの軸が示されている。ここでは地理的な軸と人口統計的な軸，心理的な軸，行動面の軸の4つに大まかに分けられている。本当は自分の頭で考えて，自分独自のオリジナルな軸を創り出すことが重要だが，ここでは自分で軸を創造する前に，まず一般に使われているこれらの軸によって市場を細分化してみる練習を積んでおくことを目指そう。まず，それぞれの軸について説明を加えていくことにする。

1. 地理的な軸

地域ごとに市場の反応の仕方が異なるのは比較的明白であろう。東京と大阪，北海道と九州では，顧客の好みがたしかに異なる。たとえば関西の

かけうどんのつゆは薄い色をしているが，東京では真っ黒である。関東には納豆が大好きな人が多いが，関西には少ない。関東で納豆好きに売れる製品は，納豆独特のにおいも，粘りけも，かなり強いかもしれないが，関西ではにおいが弱くてあまりネバネバしていない納豆が売れたりする。こってりしたとんこつスープのラーメンは福岡で，多種多様なサッポロラーメンは札幌で楽しむことができる。味覚に関する違いばかりではない。ルームエアコンは大阪や京都，和歌山，奈良のような関西地区が全国で最も普及率の高い地域であり，布団乾燥機は秋田や富山，青森，新潟などの地域が最も高い普及率を誇っている。これらの地域ごとの気候の違いを考えれば納得がいくであろう。

　こういった地域差は，気候や長い間の伝統と文化の蓄積，地域別の所得差などから生まれるものであり，特に地域をセグメンテーションの重要な軸としてマーケティング戦略全体を構築しようという，いわゆる「エリア・マーケティング」という考え方も唱えられている。エリア・マーケティングに取り組む場合に最も大事なことは，地域市場を理解することである。地域市場を理解する方法には，①その地域に住んでみて，その地域の内部者の視点を獲得するという方法と，②その地域のもつさまざまな特徴を統計などを用いて鳥瞰図的に大きく捉えるという方法の2つがある。地域を理解するためには，この両方の方法のどちらも欠かしてはならない。たとえば，この地域は人口が何人で，平均所得がいくらだから，絶対この製品が売れるはずだ，という予想はしばしば裏切られる。このような予想は内部者の視点からもう一度検討し直す必要があるのだ。逆に「自分は内部者の視点に立っているぞ」と思っている人は，自分の意見が自分勝手な思い込み，独りよが

りのものになってしまっている可能性をチェックできない。現代企業の生産・販売する製品がある程度の規模の生産を前提にしているのであるかぎり、やはりマクロな視点で統計数字をチェックすることは必要であろう。

地理的な軸は、地域にとどまらない。関西と関東がいかに違った場所であっても、たとえば人口 10 万人以上の街をとり出してくれば互いに類似した特徴がある。また、下町と山の手、新興住宅地といった違いは、どこの地域のどの街にも必ずといっていいほど存在する。そこに集まる人々は、類似の価値観を事前にもっていたり、あるいは生活の中で類似の価値観を形成していく可能性がある。人口の多い少ないや立地の特徴などに注目することで、随分いろいろなものが見えてくるということは決して少なくない。

2. 人口統計的な軸

人口統計的(デモグラフィック)な軸というのは聞き慣れないことばだ。これは年齢や家族構成、所得水準など、国勢調査(こくせいちょうさ)で質問される項目だと理解しておけば大きな間違いはない。その意味では国勢調査的な軸とでもいえばいいのだろうが、慣例なので我慢して欲しい。年齢が重要なセグメンテーションの軸であることは、既に化粧品の例で理解できたと思う。年齢の区分けで頻繁に用いられるのは、いわゆる人生の節目(ふしめ)といわれる時点である。年齢が重要なのは、年齢によってライフスタイルが変わる可能性が高いからである。小学校入学や高校卒業、就職、退職、第 1 子出産の平均年齢などなどの節目ごとにたしかにわれわれのライフスタイルは大きく変わる。ただし、国が変われば、あるいは時代が変われば、これらの節目もまた変わることに注意しなくてはならない。日本では満

6歳で小学校に上がるが,イギリスでは5歳である。日本では大学は4年間通うが,イギリスでは3年間,ドイツでは5年間である。しかも日本では大半の人が4年で卒業するが,イタリアなどでは途中で働きにいったりして,卒業までにもっと長い年数をかける人が多い。

その他,所得水準や性別,家族数などによって消費行動が変わることは明らかだろう。年収8000万円の独身男性と年収500万円の5人家族とではカネの使い方は随分違うに違いない。職業や社内での地位によっても消費行動が異なるのも分かりやすいはずだ。同じメーカーの人間でも,エンジニアよりは営業マンの方が酒を消費する量が多く,課長以上になるとテニスやスキーよりもゴルフをする人が増えるのが現時点における日本の会社の一般的な傾向であろう。

3. 心理的な軸と行動面の軸

心理的な軸と行動面の軸はやや区別がしにくいが,前者が人間の本質的なタイプを示し,後者はそのタイプが表に行動として表われたものだと考えて欲しい。心理的な軸は分析する人のものの見方次第で,さまざまなものが作られる。明るい人と暗い人や,保守的な人と革新的な人,目立ちたがりやとひっそりと暮らしたいと思っている人,などさまざまな軸がありうる。

行動面の軸には,使用頻度に応じてヘビー・ユーザーからごく稀に使う人までに分類したり,定期的に購入する人と衝動買いで買う人,その製品が存在することを既に知っている人とまだ知らない人,などの区別がある。

セグメンテーションというのは,なにも消費財に限って行なわ

表 2-2 産業財市場のセグメンテーションの軸

組織のタイプ	メーカー，病院，政府，公企業，農家，など
人口統計	企業規模 　　―従業員数 　　―売上高 日本標準産業分類 保有工場数
地理	立地 　　―関東，関西，中部，九州，東北，北海道，など 　　―大都市近郊，地方
製品の種類	部品メーカー，製造設備メーカー，原材料メーカー
購買状況のタイプ	本社一括発注，事業部ごとの発注 調達部門の独自決定権限が強い，あるいは他の部門の影響を受けやすい
調達先忠実度	一度供給業者を決めたら変えない，あるいは購入機会ごとに変更
互恵性	互いに相手の製品を購入している，あるいは一方的に買うだけ

(出所)　McCarthy and Perreault [1988], p.75 より一部修正して掲載。

れることではない。この本の中に出てくる他のあらゆるコンセプトと同じように，セグメンテーションもまた産業財にも適用可能な，しかも適用すると便利な考え方である。産業財というのは部品や材料や製造設備など企業が買うモノのことである。

表 2-2 には産業財市場のセグメンテーションを行なう場合に一般に使われている軸が示されている。買い手企業がメーカーか銀行か，あるいは公益事業かなどの違いによって購買行動が変わってくるのは明らかである。国立大学や市役所などの公的な組織では，たとえば 300 万円程度の物品の購入にまで入札を行なわないとならない場合がある。企業であればこの程度の金額なら課長決裁で決められるであろう。

また企業の規模や所在地，業種によって，あるいは高級品を作

っている企業か低価格品を作っている企業かによってこれらの企業の購買行動が変わってくる。一般に高級品を作っているメーカーは、値段よりも品質を重視した購買行動をとるであろうし、逆に低価格品を作っているメーカーは、自分が買い手にまわったときにも価格に対して敏感に反応するであろう。日本のメーカーは1回取引を始めると継続的に同じ供給業者から調達し続ける傾向が比較的強いが、アメリカのメーカーは1回ごとに取引先を変更したり、比較的短い期間で取引先の見直しをする会社が多いとも言われる。組織全体の特徴だけでなく、相手企業の購買担当者の特徴も重要な軸になりうる。購買担当者が相手企業の中で地位の高い人である場合と、低い人である場合では、おのずとマーケティング戦略の立て方が変わってくるだろう。

3 軸の組み合わせ

1. 3つのW

上のような軸が一般に使用されるものだが、ここで2つ注意をしておきたい。ひとつは、一般に使用されている軸を使用している限り、他社のマーケターも同じセグメンテーションの方法に気づいているだろう、ということである。他社になかなか追い付かれないような差別化を行なうためには、他社のマーケターが気づかないようなユニークかつオリジナルな軸を自分で創造しなければならない。企業間の血みどろの闘い、つまり激しい値引きのみの競争が行なわれる原因のひとつは、他社の後追いモノマネが多いばかりでなく、皆が気づいてしまうような一般的な軸によるセグメンテーションを

そもそも多くの企業が行なっていて、その類似のセグメンテーションに基づいて類似の製品を開発してしまっていることでもあろう。悲惨な競争から逃れるためには、ビジネスマンたちになお一層の創造性が必要とされるのである。残念ながら、この創造性を養うのはこの本の領域を越えているので読者諸兄の日ごろの努力に期待するしかない。

　もうひとつの注意点は、セグメンテーションは通常ひとつの軸だけで行なうものではない、ということである。いくつかの軸を組み合わせて初めてターゲット市場が見えてくるのである。通常は、どの地域（Where）にいる、誰（for Whom）の、どのようなニーズ（to meet What）を満たすのかを決めて初めて特定の市場セグメントを定義したことになる。例を示しておこう。

2. ユーミンのケース

シンガーソングライターの松任谷由美（ユーミン）が1988年の末に発表した『デライト・スライト・ライト・キッス』というアルバムがある。「どうしてどうして僕たちは出逢ってしまったのだろう」というフレーズが印象的な「リフレインが叫んでる」という曲を憶えていないだろうか。ユーミンは作詞・作曲に優れているばかりでなく、マーケティングに関しても有能な才人である。彼女は、ターゲット市場と、それに訴えかけるコンセプトを常に明確にしてアルバムを作っている。このアルバムは題名の「デライト（うれしい）・スライト（かすかな）・ライト（軽い）・キッス」からも分かるように、軽いキッスで心揺れ動くような「純愛」をコンセプトとしている。それまでは世の中で不倫が「流行」っていたので、その逆の純愛がこれからはウケるはずだというのが、ユーミンの

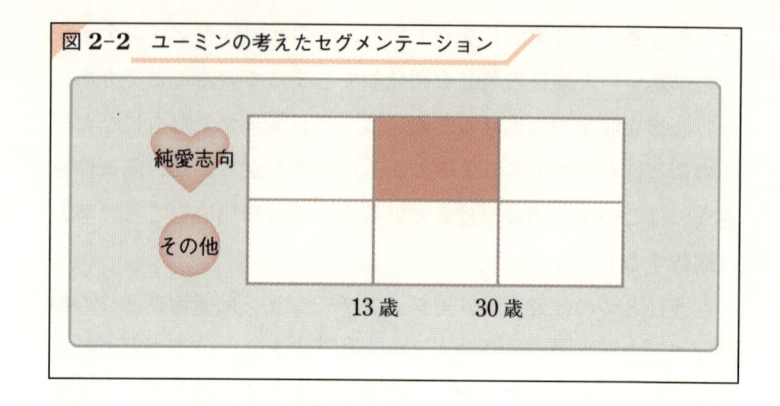

図 2-2　ユーミンの考えたセグメンテーション

純愛志向		■	
その他			
	13歳	30歳	

着想だったという。

　彼女はこのアルバムを作る時に，**図 2-2** のようなセグメンテーションを行なったと言われている。ユーミンの使った軸は，①地域（地理的軸），②年齢（人口統計的軸）と③性別（人口統計的軸）と④愛に対する考え方（心理的軸）の 4 つである。一口で言えば，日本国内に住む 13 歳から 30 歳までの純愛志向の女性というのがターゲット市場であった。13 歳というのは中学校 1 年生である。やっとお小遣いで CD を買うことができ，しかも女の子の 13 歳といえば恋愛をしたがるようになる年齢である（最近はもっと早いという説もある）。30 歳というのは未婚であるか，結婚していてもまだ恋愛というものに関心が残っている年齢である。もちろん CD を 1 年に 1 枚くらい買う余裕はある。純愛志向というのはなかなかとらえどころがないが，その逆を考えてみれば分かりやすい。ユーミンが意識したか否かは分からないが，純愛でないものを志向するというのは，実は不倫を志向するということではない。たとえば手段的な愛を志向したり，快楽主義的な愛を志向するというのが純愛の反対物であろう。手段的な愛への志向性とい

うのは,「カレってお金持ちだし〜, エリート・サラリーマンだから〜」という心理的なタイプのことである。快楽主義的な愛については触れないでおくが, これらの対立する愛に対する志向を考えてみれば, 純愛志向とは,「切ない」という気持ちを楽しめる心理的な特徴のことだと推測できる。「切ない」という気持ちは苦痛のように見えて, 実際には, なかなかどうして快楽であったりする。

つまりこのアルバムは, ①日本全国の, ②13歳から30歳までの女性がもつ, ③「切ない」という気持ちを楽しみたいというニーズを満たそうとして作られているのである。このような明確なセグメンテーションを行なった結果, 1988年11月26日に発売されてから1週間で103万枚, 2週間で120万枚もの売上げを達成した。

余談だが, 1週間で103万枚の売上げは大変な成功である。果たして13歳から30歳までの純愛志向の女性だけがこのCDを買ったのだろうか, という疑問が当然のごとくわいてくる。その後行なわれた調査によれば, このCDを購入した人の40パーセントは男性であったという。なぜ40パーセントが男性だったのか。世の中では, 今や珍しくもないのでそのような独特の呼び方も聞かれなくなってしまったが, アッシー君やミツグ君と呼ばれるタイプの男性が増大し始めた時期であり, 彼らが自分の彼女は「純愛志向に違いない」と思い込んでプレゼントしたという可能性がひとつ。あるいはこれらの男性が女性とドライブを楽しむ際の必需品のひとつとして購入したのかもしれない。あまり考えたくはないが, もしかすると世の中の男性たちが大挙して純愛に走り始め, 自分で「切ない」という気持ちを楽しみ始めたのかもしれな

い。

　このケースから得られる教訓のひとつは，世の中の仕組み，構造をまず明確に把握することがマーケティング戦略の第一歩だということである。少なくとも1988年頃には，13歳から30歳までの純愛志向の女性たちに対して男性たちが一所懸命につくす，あるいは盛んにプレゼントをする，彼女たちのニーズに合わせた行動をとる，男性が純愛を楽しむ，という社会の特徴ができあがっていたのである。あるいは男性がそのように行動しても恥ずかしくないという社会の特徴ができあがっていた，と考えても良いかもしれない。マーケティングの才があるユーミンのことだから，13歳から30歳までの女性をターゲットにしておけば，その波及効果で男性たちも数多くアルバムを買ってくれるだろうと事前に読んでいたのかもしれない。

　もうひとつの教訓は，たとえ男性たちを最終的には狙うとしても，当初設定するターゲットは絞るべきだということである。このアルバムに関しても，特定の年齢層の女性をターゲットにしていたからこそ彼女たちを取り巻く男性が動いたのであって，初めから男性もターゲットに含めていたならば，これほどの成功を収めなかったのではないだろうか。「切ない」という気持ちを楽しむ男性を直接ねらった歌詞をつくったら，売れないCDになっていたかもしれない。あるいは下心見え見えのCDにしていたら，さすがにドライブの時にそれを用意しておくのを世の男性たちは恥ずかしがったかもしれない。それ故，ターゲットをしっかり絞ること，集中することで初めて明確なコンセプトの製品開発ができ，その波及効果も生まれたと考えるべきであろう。

4 ターゲットを絞る

1. セグメンテーションのチェック・ポイント

セグメンテーションはただ市場を分解すればいいというものではない。セグメンテーションを行なう場合には少なくとも次の4点をチェックする必要がある。

(1) セグメント内が同質
(2) セグメント間が異質
(3) 操作性
(4) セグメントの規模

初めの2つは既に触れた。セグメント内の同質性が高ければ,特定のマーケティング・ミックスをつくるだけで効率的に潜在的な顧客グループに働きかけることができる。たとえば,オーディオ・マニアに広告で働きかけようと考えるのであれば,新聞などの媒体を使わずに,オーディオ専門誌に広告を掲載すればよい。多くのオーディオ・マニアが同じ雑誌を買うという行動の同質性を示してくれれば,広告掲載料の高い新聞(『朝日新聞』や『読売新聞』など)や一般週刊誌(『週刊新潮』や『週刊ポスト』)などに広告を掲載する必要はない。より専門性の高い,出版部数の限られた専門誌(『オーディオ・ファン』など)に広告を掲載すれば良いのである。広告費は雑誌の発行部数に応じて上がっていくので,できるだけ発行部数の少ない雑誌で十分に情報を伝えられる方が企業にとって得なのである。

3つめにあげた操作性とは,そのセグメントの市場規模が予想

できるかどうか，また，そのセグメンテーションを行なうことでマーケティング・ミックスの作り方に対して具体的な示唆が得られるか否かということである。先のユーミンの例でいえば，13歳から30歳までの日本女性という軸は操作性に優れている。誰がそれに含まれるかは明白であるし，そのセグメントに含まれる人数も簡単に計算できるからである。

ある人が純愛志向の強い人か手段的愛志向が強いかを判断することは難しいので，純愛志向の人の数を数えることは事実上不可能である。その意味ではこの軸は操作性に乏しい。しかし，純愛志向が強い人が頻繁に観るテレビ番組を予想することは比較的たやすい。その番組で採用されれば多くの人が買いたいと思うかもしれない。また，純愛志向の人が好む歌詞の内容も予想がつきやすい。逆に13歳から30歳までの日本女性だけでは，どのような歌詞の内容を好むかは予想できないだろう。したがって，これら3つの軸を組み合わせることで，このセグメンテーションは操作性の高いものになっていると言うことができる。

セグメンテーションはしたけれども，ターゲット市場の市場規模が小さいのでは商売にならない。細分化していく作業は市場全体よりは小さな部分を見つける作業であるけれども，それでも十分な大きさの市場でなければならない。分解していって，結局，一部のマニアやおたくだけが残ったということにならないようにチェックせよ，というのが(4)のセグメントの規模という注意点である。

2. 3つのアプローチ

いったん市場を細分化したら，次にやるべきことは，その複数のセグメントのう

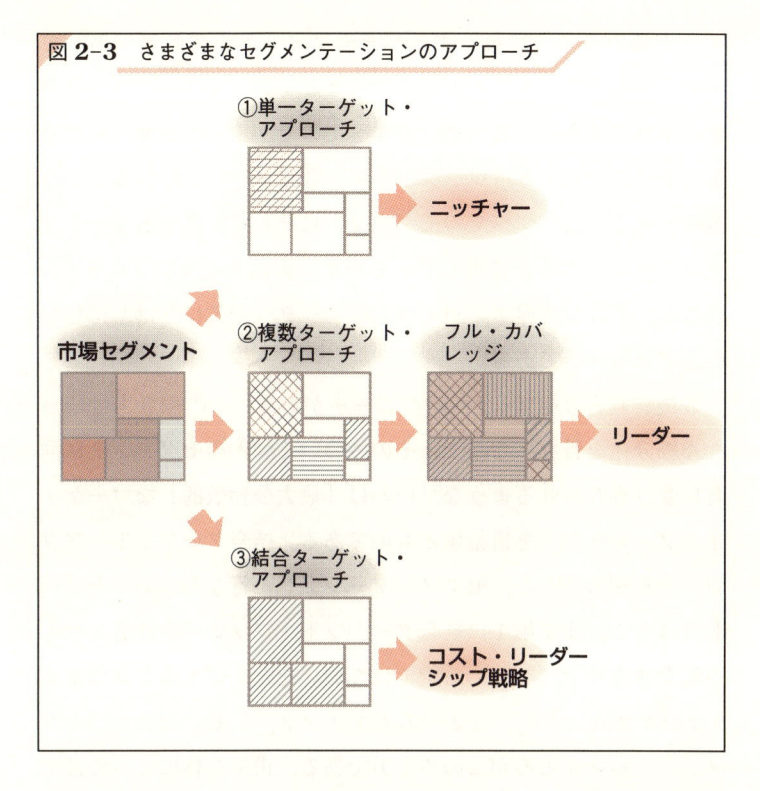

図 2-3　さまざまなセグメンテーションのアプローチ

①単一ターゲット・アプローチ　→　ニッチャー

市場セグメント　→　②複数ターゲット・アプローチ　→　フル・カバレッジ　→　リーダー

③結合ターゲット・アプローチ　→　コスト・リーダーシップ戦略

ちのどれをターゲットに設定するかを決めることである。図 2-3 に描かれているように，ターゲット設定の仕方には基本的に 3 つのやり方がある。1 つめは単一ターゲット・アプローチである。単一の市場セグメントのみを対象にして，その市場セグメントにフィットしたマーケティング・ミックスを構築するのである。これは比較的小規模な企業が絞られたターゲット市場内で圧倒的な強さを確立する場合にしばしば見られるアプローチの仕方である。第 4 章で述べるが，このような企業をニッチャーと呼ぶ。

　2 つめは複数ターゲット・アプローチである。これは，細分化

した市場のうち、対象とするべきセグメントを複数選び出して、それぞれにフィットした別々のマーケティング・ミックスを構築するやり方である。こうやってすべてのセグメントをカバーする場合を特に**フル・カバレッジ**と呼ぶ。全部カバーしているという意味である。このすべてのセグメントにそれぞれ異なるマーケティング・ミックスを提供しているので、製品ラインは**フルライン**になる。これは業界ナンバーワンのリーダー企業にしばしば見られるアプローチである。

最後に**結合ターゲット・アプローチ**がある。このやり方はいったん細分化を行なった後で、その中のいくつかのセグメントに同時に受け容れられるような、いわば「最大公約数的」なマーケティング・ミックスを構築するものである。結合ターゲット・アプローチを採ることと、セグメンテーションを行なわないことは同じではない。まず第1に結合ターゲット・アプローチは必ずしも市場全体を相手にしている訳ではない。たとえば市場全体にある5つのセグメントのうち2つのセグメント、あるいは3つのセグメントを結合するのがこのやり方である。市場全体にとって最大公約数的な製品は個性も魅力もないものになりがちだが、2つや3つのセグメントを対象とする限りは個性的な製品を作ることが可能である。しかも、コストを下げることもできる。必要以上に結合するセグメントの数を増やしても、コストは下がらないかもしれない。結合ターゲット・アプローチをとって成功するためには背後に冷徹なコスト計算がなければならない。その意味では徹底したコスト・ダウンを主眼に置いた戦略をとる企業、すなわちコスト・リーダーシップ戦略をとる企業が典型的にはこのアプローチを採用している。第2に、たとえ市場全体を対象としたとし

ても、いったん細分化を行なった企業と行なったことのない企業とでは市場に関する理解の深みが格段に違う。セグメンテーションとは、市場を分析して理解することと同じことであるから、正確なセグメンテーションを行なった後に、なおかつすべてのセグメントをターゲットにするべきだという答えが出たのならば、その上で作られるマーケティング・ミックスは十分成功する見込みの高いものになるであろう。

3. ターゲット・セグメントと4つのPのフィット

マーケティング戦略の基本はターゲット・セグメントにフィットするような4つのP（マーケティング・ミックス）を創り上げることである。次章以下でこのフィットに影響を及ぼすさまざまな条件を述べていくが、あくまでも基本はターゲット・セグメントと4つのPのフィットにある。この基本的なフィットを達成するためには、図2-4に見られるような順序で考えてみるのもひとつの方法だろう。

(1) セグメンテーション：まず、売ろうと思っている製品の大まかなカテゴリーを念頭に置いて、セグメンテーションを行なう。

(2) ターゲット市場の設定：そのセグメンテーションに基づいて、どのセグメントをターゲットにするかを決める。

(3) マーケティング・ミックスの構築：ターゲット市場のニーズにフィットした本質サービスを把握し、それを中心に据えてマーケティング・ミックスの他の要素を整合的に創り上げる。

以上のような順序である。もちろん、このような順番通りにい

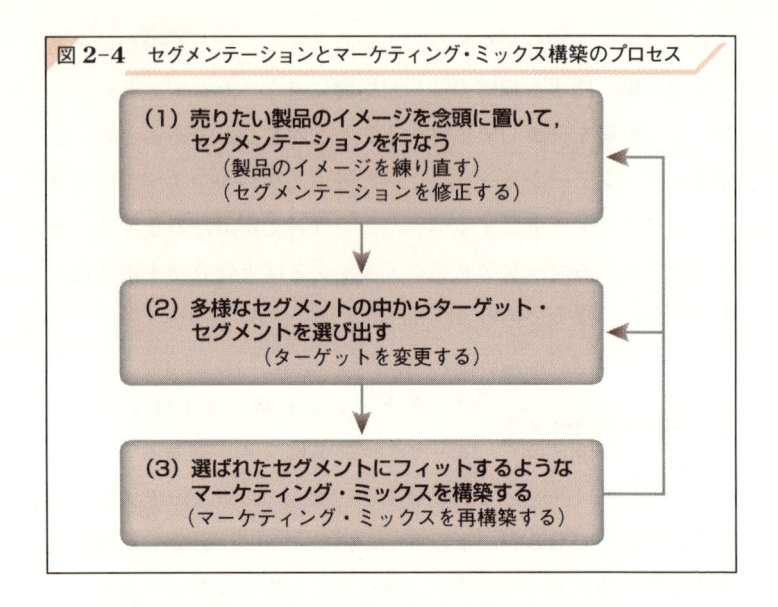

> **図 2-4　セグメンテーションとマーケティング・ミックス構築のプロセス**
>
> (1) 売りたい製品のイメージを念頭に置いて、セグメンテーションを行なう
> （製品のイメージを練り直す）
> （セグメンテーションを修正する）
>
> ↓
>
> (2) 多様なセグメントの中からターゲット・セグメントを選び出す
> （ターゲットを変更する）
>
> ↓
>
> (3) 選ばれたセグメントにフィットするようなマーケティング・ミックスを構築する
> （マーケティング・ミックスを再構築する）

かないのが世の常である。初めに4つのPがほぼ決まっていて、その上で売れそうな市場セグメントを探す場合もあるだろうし、①から③まで行なった上で、もう一度セグメンテーションのやり直しをして4つのPの微調整を行なう、という繰り返しをするかもしれない。大切なことは、優れたマーケティング戦略を構築しようと思ったら、これぐらいは最低でも考える問題領域がある、という点であって順序ではない。

5　富士写真フイルム「チェキ」のケース

1. ターゲット

富士写真フイルムが1998年の年末に発売したインスタント・カメラ「チェキ」

は爆発的な大ヒット商品となった。当初の生産計画は年間30万台，後に50万台まで増産体制を整えたものの，発売後10カ月経った1999年9月の時点でもまだ品切れが続いている。

　従来のインスタント・カメラと言えば，ポラロイド社の製品が圧倒的に強力な市場シェアをもっていた。日本市場ではポラロイドが市場の7割をおさえ，富士写真フイルムの「フォトラマ」は3割のシェアをもっていたにすぎない。しかもインスタント・カメラの市場は小さかった。従来の製品はみな一眼レフ・カメラくらいの大きさで，700グラムくらいの重さがあり，大きくてかさばるので持ち歩きに適していなかった。またフイルムも高価だった。店頭で売られる実売価格で10枚入りが1500円，1枚あたり150円もした。撮ったその場で見ることができ，現像に出さないですむとは言っても，富士写真フイルムの「写ルンです」が1枚あたり70〜80円ですむのに比べれば，ずいぶん割高だったのである。

　富士写真フイルムはこうした現状を分析した後で，まず明確なターゲット市場を設定した。メイン・ターゲットは女子高生から25歳くらいまでの女性に絞り込んだ。ちょうど世の中ではプリクラが「画像コミュニケーション・ツール」として大ヒットし，世の若い女性たちがプリクラを大量に撮って友達たちと交換し合っていた。こうした画像の交換という行動面の特徴が目立つようになってきたのであるから，どこにでも持ち運びができる「画像コミュニケーション・ツール」のニーズが確実にある，と富士写真フイルムは考えたのである。つまり同社は，①日本国内（地理），②15歳〜25歳（人口統計），③女性（人口統計），④画像をコミュニケーション手段として多用する（行動），といった軸を使っ

てセグメンテーションを行ない，ターゲット市場を選定したのである。

> **2. マーケティング・ミックス：4つのP**

若い女性をターゲットにした「チェキ」は従来のインスタント・カメラとは大幅に異なるプロダクトであった。まず，重さは従来品の約半分（335グラム）に減らし，レンズを本体に収納すればかなり小型で持ち運びがしやすいものにまとめている。フィルムのサイズも名詞の大きさにした。これは従来の写真ではなくむしろプリクラを意識した大きさである。しかも従来のインスタント・フィルムを消費者たちがわざわざ小さく切り取って定期入れなどに入れていたことも市場調査の結果で分かっていた。画質については従来のインスタントを上回るシャープネスが達成されている。もちろんプリクラとは比較にならないほどシャープで発色が良い。ネーミングも女子高生に愛されるように考えられている。正式名称は「インスタックス・ミニ10」であるが，愛称を「チェキ」とした。これは「要チェック」という意味の「Check it」（チェック・イット）からとられたものである。

　プライスも若い女性にフィットするように設定されている。本体価格は1万円，フィルムは10枚入りが700円である。本体は女子高生がお小遣いで買える価格であり，フィルムも1枚あたり70円と従来の「写ルンです」の写真1枚と同程度に抑えられ，しかもプリクラの1回300円と比較して割安感が出るようになっている。

　プロモーションも若い女性に照準が合っている。生産が追いつかなくなったのでテレビ広告は控えたが，発売1カ月後に「チェ

キ100万円フォトラリー」というイベントを実施した。東京では渋谷、大阪では心斎橋に、15歳から25歳までの女性を集め、3人一組でクイズを解きながら街中を「チェキ」で撮影して回ってもらうというイベントである。参加者には赤いマントを羽織って「チェキ」を持ち歩いてもらい、クイズの答えとなる場所を撮影してきてもらうという企画である。彼女ら自身に「チェキ」の使い勝手を知ってもらって口コミをひろめてもらうばかりでなく、それを周りで見ている歩行者たちに強い印象を与えるのが狙いであった。

プレイスは当初、通常のカメラ屋さんルートであったが、後にスーパーやコンビニからもフィルムの指名注文が来て広がっていった。カメラ店についてはプッシュ戦略、その他はプル戦略がとられ、開放型チャネル政策へと転換していったと言える。

3. 複合ターゲットへ

このように当初の明確なターゲット設定とそれにフィットするマーケティング・ミックスが構築され、「チェキ」は大ヒット商品になったのであった。ただしヒット商品の常として、「チェキ」の場合も、やはり当初のターゲット・セグメント以外にもずいぶん波及効果があったようだ。

購入者から集められたアンケート調査の結果によると、18歳以下が17パーセント、18歳〜27歳が31パーセントであった。男女比を見ると、女性が55パーセントを占めていた。つまり、確かに若い女性というターゲットが「チェキ」を買ってくれているのだが、それ以外にも当初必ずしもメイン・ターゲットにしていなかった多数の消費者が「チェキ」を購入したということであ

る。実際，30歳以上の男性もかなり「チェキ」を買っていることが判明している。

　用途についても，当初の予想通り，名刺代わりに使うとか，飲み会やカラオケ・パーティで雰囲気を盛り上げるために使うといった「画像コミュニケーション・ツール」という使われ方もしているのだが，それ以外にも「チェキ」は意外な用途に用いられていることが分かった。たとえば「チェキ」で従業員の名札を作ったり，美容院などで余白部分にメモを書き込むなどの写真メモとして利用したり，農作物の生育状況を撮影する人がいるなど，仕事用にも使われていた。またユニークな例として「チェキ」でオリジナルのトランプを作る人がいることも報告されている。

　「チェキ」は意図の上では単一ターゲット・アプローチを採用していたのだが，結果的には，複数のセグメントに対して同一のマーケティング・ミックスを提供していたことになるから，結合ターゲット・アプローチをとっていたことになる。しかし富士写真フイルムでは，その後，多様なセグメントにそれぞれ対応できるように，より大きなフィルムを撮影できる機種を追加したり，インスタント・カメラとデジタル・カメラの融合版を企画したりしている。つまり，今後は複数ターゲット・アプローチへと転換しようとしているのである。

第3章 製品ライフサイクル

 生命現象には一定の予測できるパターンをとって変化するものが多く見られる。たとえば人間の一生は，誕生から始まって，思春期→青春期→壮年期→熟年期→老年期→死，というライフサイクルを描く。人によっては40歳を過ぎてもまだ青年期だと思っている場合もあるが，重要なことは人間はいつかは年をとり，死んでしまう，ということであり，その年数がおおよそ見当がついている，ということである。その見当がついているおかげで，多くの人は一定の年齢を越えるとまじめに仕事をするようになり，貯金をして結婚に備えたり，老後に備えたりすることができるのである。

 生き物と同じように製品にも一生があって，やはり類似のライフサイクルをたどると考えるのは単純すぎると思われるかもしれない。たしかに完全な予測ができるわけではないが，それでも，

図 3-1 製品ライフサイクル

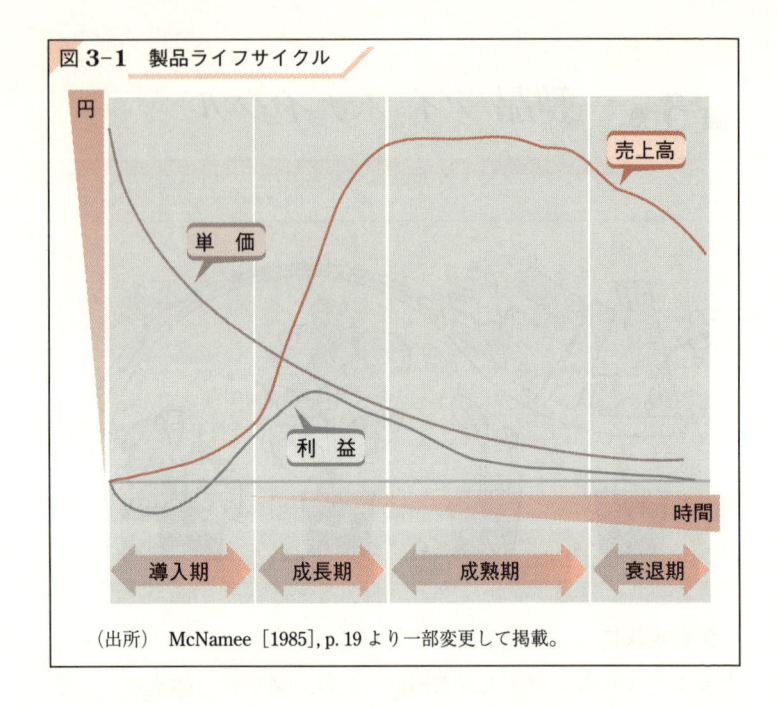

（出所） McNamee [1985], p. 19 より一部変更して掲載。

　急速な売上成長を経験している製品も，やがて成熟してしまう，という程度のラフなパターンを描くことが多いということも事実である。たとえラフではあっても何らかのパターンを描く可能性が高いのであれば，企業は事前に準備をすることもできるし，それぞれの段階に合わせたさまざまな施策を適切に打ち出すこともできる。

　製品ライフサイクルの理論は図 3-1 と表 3-1 に見られるように製品のたどる段階を通常次の 4 つに分けている。まず新製品が導入され，売上げも利益も少ない導入期から始まる。その後，急速に売上げと利益とが増大する成長期が訪れ，いつしか売上げの成長が止まる成熟期に入る。最後には売上げ・利益ともに減少し

表 3-1 製品ライフサイクルの段階別特徴

特徴	導入期	成長期	成熟期	衰退期
売上高	低水準	急速上昇	緩慢な上昇 or 下降	下降
利益	僅少もしくは マイナス	最高水準	下降	低水準 or ゼロ
顧客	イノベーター/ マニア	早期大衆 追随者	後期大衆 追随者	遅期追随者
競争	ほとんどなし	増加	企業数多数	減少

(出所) Kotler [1980], 邦訳, 240頁より一部変更して掲載。

ていく衰退期がやってくる。もちろんピッタリこの通りの曲線を描く製品など皆無であると考えても間違いではない。現実の製品ライフサイクルは、この理論の示すような美しい形をしていないが、それでも成長期や成熟期にどのようなマーケティング戦略を構築すれば良いのかを考える上では製品ライフサイクルの理論は十分に意味のある議論を提供してくれる。それぞれの段階の特徴と、その段階ごとのマーケティング・ミックスの定石を次に見てみることにしよう。

1 導入期

1. 市場拡大のボトルネック

導入期とは文字通り新製品を市場に導入し始めた頃のことである。新製品の発売直後から売上高が成長し始める前までが導入期である。この段階ではまだ売上高は少なく、利益もマイナスである場合が多く、利益が出たとしてもほんのわずかである。

競争相手もまだ出そろっておらず，少数の企業だけがこの新しい製品を手がけているに過ぎない。顧客の特徴は新しいもの，珍しいものが好きで，自分の生活様式を変えるのに積極的なイノベーター（革新者あるいはマニア）である。

導入したてで市場が小さいのだから，この時期の戦略的な課題は**市場の拡大**である。まだ競争相手も少なく，相互に激しいシェアの食い合いをするよりも，互いに市場全体の拡大をしたほうがいい。だからまだ競争相手と戦うというよりも，皆で協力して市場全体を大きくした方が良い。それゆえ，競争相手に対処するというのは導入期では重要課題ではない。繰り返すが，最も重要なポイントは市場の拡大であり，マーケティング戦略の定石も市場の拡大を最優先事項として構築するべきである。

導入期に製品の普及率が低いのにはいくつかの理由が考えられる。ひとつはその製品が存在するということをまだ顧客が認知していない場合である。また，製品の存在自体は認知しているが，その製品が「実は健康に悪いのではないか」とか，「わざわざお金を出して買っても，それほど便利なものではないのではないか」などといった偏見があるために買い控えをしている可能性もある。さらに企業側にもさまざまな問題があるかもしれない。生産が立ち上がっておらず，需要を満たすだけの製品を生産できないとか，生産初期に不良品が多いとか，販売体制が整っていないために末端の小売店まで製品が効率的に流れていないなどの問題である。製品が高価格のものであれば，さらに顧客は買い控える可能性が高まるであろう。

普及を妨げている障害あるいはボトルネック（隘路）を探す際に，アイドマ（AIDMA）・モデルと呼ばれる購買行動のモデルが

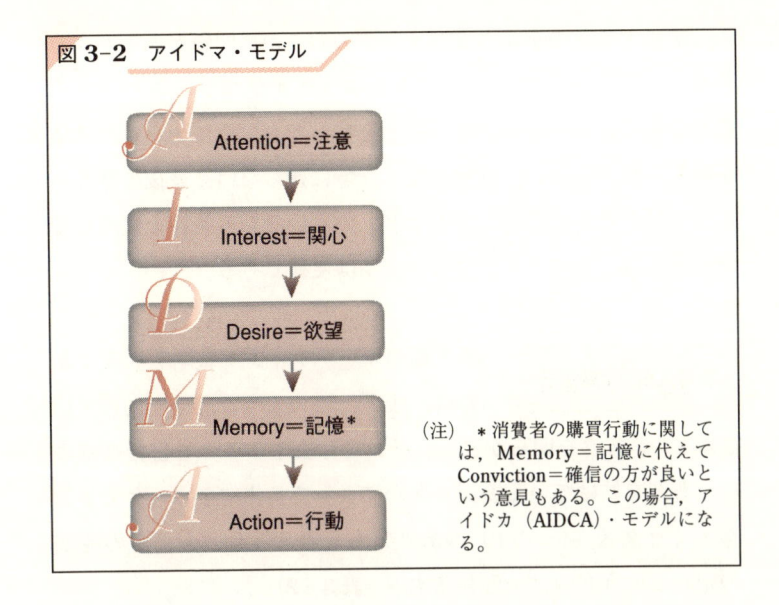

図 3-2 アイドマ・モデル

- *A* Attention＝注意
- *I* Interest＝関心
- *D* Desire＝欲望
- *M* Memory＝記憶＊
- *A* Action＝行動

(注) ＊消費者の購買行動に関しては，Memory＝記憶に代えてConviction＝確信の方が良いという意見もある。この場合，アイドカ（AIDCA）・モデルになる。

役に立つかもしれない。消費者がモノを買うという行為に至るまでに，どのような段階を経ていなければならないかをこのモデルは整理してくれている。図 3-2 に見られるように，Attention＝注意，Interest＝関心，Desire＝欲望，Memory＝記憶，Action＝行動（行為）の頭文字をつなげてアイドマと読む。消費者はまず，その製品が存在するということを知っていなければ，そもそも購買することはないであろうし，知ってはいても関心をもっていなければやはり買わないであろう。その製品があることを知っていて，しかも関心を持っていても，必ずしも自分でカネを出して手に入れたいという欲望を抱かないこともあり得る。欲望をもっていて，それが記憶され，どこかで買うという行動に結びつくのである。導入期に製品がなかなか売れないということは，消費者がなかなか購買という行動を起こしてくれていないということだか

第 3 章 製品ライフサイクル

ら，アイドマ・モデルの5ステップのどこかに問題があるかもしれない。そう考えてみるとボトルネックが見つかることがある。製品が知られていないとか，関心を持ってもらえていない，欲望が喚起されていない，欲望が長く記憶に残らない，最後の買うという行動がとりにくい，などなど，いろいろな可能性を整理して考えるには，このアイドマ・モデルは便利である。

2. 導入期の戦略定石

導入期のマーケティング戦略を立案するには，まず，このような普及を妨げているボトルネックを明らかにし，それを除去することを目指せばよい。普及を妨げている要因が何かによって具体的なマーケティング・ミックス（4つのP）のあり方も変わるけれども，この時期の定石（じょうせき）というものは一応存在する（表3-2）。

プロダクトはできるだけその製品の本質サービスを顧客に理解しやすく，使いやすくするべきであろうし，製品の本質サービスをよりよく理解してもらい，偏見を取り除くために説明重視のプッシュ戦略（プロモーション）を基本とするべきであろう。説明重視のプッシュを行なうとすれば，それほど広範な流通業者を使うことはできないので，プレイスについては閉鎖型チャネル政策を採用し，限られた数の流通業者に積極的に販売をしてもらうべく高いマージンを設定する。このようにマーケティングにかかるコストは高水準であり，しかも生産を始めたばかりだから製造コストも高いであろう。これを回収するためには価格も高めに設定しておくのが無難である。

もちろん，この時期の価格政策には別の見方もある。価格が高いことが普及のボトルネックになっていて，しかも大量生産によ

表3-2 導入期のマーケティング戦略の定石

特徴	製品ライフサイクルの特徴		成長期	成熟期	衰退期
	導入期				
売上高	低水準				
利益	僅少もしくはマイナス				
顧客	イノベーター/マニア				
競争	ほとんどなし				
戦略	上澄み価格政策	浸透価格政策			
戦略の焦点	市場の拡大	市場の拡大			
戦略の強調点	製品認知	低価格化			
4P's					
プロダクト	本質サービス	本質サービス			
プレイス	閉鎖型	開放型			
プロモーション	プッシュ	プル			
プライス	高水準	低水準			

ってコストが大幅に下がるのが分かっているのであれば，思い切って原価割れした価格を設定し，一気に市場を立ち上げるのもひとつの手である。このような価格政策を浸透価格政策という。早い時期にトップの市場シェアを獲得し，それがさらなる低価格化を可能にし，市場シェアをさらに高める，という好循環が期待できるときには有効な価格政策である。逆に，初期のイノベーター（マニア）と呼ばれる顧客は，新しいものならどんな価格でも買う，というタイプの人が多いから，この顧客層を相手に製品の開発費や初期のプロモーション費用など，さまざまな導入期のコストを回収してしまうという手も考えられる。これを上澄み価格政策という。一番美味しい上澄みの部分を先に取ってしまうのであ

第3章 製品ライフサイクル

る。

　導入期の製品は、そもそも普及率が低くて一部の人しか買っていないのだから、あまり一般の人には知られていない。だから例を探すのが難しい。あえてあげるとすれば、1999年時点における食器洗い乾燥機が導入期と成長期の間にあると考えられるであろう。食器洗い乾燥機は欧米と比較すると日本では非常に普及率が低い。ニーズがないわけではない。あるアンケート調査によると、床暖房や温水洗浄便座などよりも顧客は「欲しい」と思っているのである。しかしそれにもかかわらず、アメリカでは55パーセント、ドイツでも38パーセントの普及率を達成しているのに対して、日本ではわずか6.3パーセントしか普及していない。食器洗い乾燥機が日本でなかなか普及しない理由（＝普及のボトルネック）は台所が狭い、という日本の住環境であろう。アメリカの半分、イギリスの3分の2とも言われる日本の住宅床面積の狭さを考えると、炊飯ジャーやポット、電子レンジなどをキッチンに並べると、食器洗い乾燥機など置く場所がないのかもしれない。

　1999年6月に松下電器産業が発売した「NP－33S1」という卓上型食器洗い乾燥機は、こうした普及のボトルネックをうち破るべく開発された製品である。この製品の最大の特徴は小さくて場所をとらないというところである。従来品よりも設置面積が20パーセント小さくなり、流し台の脇に設置することが可能である。小さなわりには中が2段になっていて多くの食器を収納でき、しかもフタが中折れ式になっていて食器の出し入れに関しても省スペースに工夫が行き届いている。この松下の卓上型食器洗い乾燥機は現在急速に売上げを伸ばしており、工場はフル操業状

態に入っている。これがきっかけとなって食器洗い乾燥機も導入期から成長期に移行するかもしれない。

2　成 長 期

1. ブランド選好の獲得

　成長期は売上高が急速に増え，利益も急増する。顧客はイノベーターから，オピニオン・リーダー，さらに比較的新し物好きの大衆（早期大衆追随者）に移る。イノベーターやマニアというのが，どちらかというと社交的な人と言うよりも強い意志をもった独立性の高い人であるのに対して，オピニオン・リーダーは社交性があって周りの人間の購買行動に影響を及ぼすような人を指す。それ故，イノベーターは周りのふつうの人たちに影響をあまり及ぼさない。ちょっと風変わりで「特殊」な人だと思われているのである。これに対してオピニオン・リーダーは周りの人の購買行動に大きな影響力をもった人たちである。このオピニオン・リーダーたちが，イノベーターの製品使用経験を観察して，その上で購買を決め，さらに自分の周りの人々から相談を受けたり，あるいは自主的に周りの人々に口コミで情報を流して，その結果として早期大衆追随者が増大し，市場が急速に成長し始める，というのが一般的なパターンだと考えられている。

　成長期の特徴は，このように市場が成長しているので，競争相手もこのチャンスを捉えようとして続々と市場に参入してくるという点にある。成長市場に多数の企業が参入してくるので，マーケティング戦略を構築する上で，この競争相手に対する対応の仕

方が最重要ポイントになる。導入期には市場立ち上げの「仲間」だった他社が，成長期には新規顧客を奪い合うライバルになってくるのである。

競争に対処することが最重要課題であるのだから，この時期には顧客が他社ブランドよりも自社ブランドを選好するようにしなければならない。市場全体が成長していれば，そこに参加している企業は多少なりともその恩恵を受けるであろう。しかし，業界全体で年率50パーセントで成長している市場に参加していても，年率80パーセントの成長を遂げているブランドもあれば，年率5パーセントの成長しか遂げていないブランドもある。市場が成長していることと自社ブランドが成長することとは別のことなのだ。市場の成長と同じスピードで，あるいは市場の成長以上に成長するためには，自社ブランドに対する選好を獲得することが不可欠である。これが成長期の最重要ポイントである。

2. 成長期の戦略定石

成長期のマーケティング・ミックスを構築するには，ブランド選好を確立して市場の成長と同程度，もしくはそれ以上の成長を達成するということを念頭に置いておけばよい。製品は本質サービスに加えて補助的サービスの充実をはからなければならない。この時期には既に本質サービスが何であり，どのようにしてそれを製品に作り込めばよいのかを自社も競争相手も理解している。だから本質サービスだけでは他社との差がつかない可能性が高いのである。他社との違いをつくり，その違いによって自社ブランドに対する選好を確保しなければならないのだから，プラスアルファの部分（補助的サービスなど）に目くばりをする必要がある。

表 3-3 成長期のマーケティング戦略の定石

		製品ライフサイクルの特徴		
特徴	導入期	成長期	成熟期	衰退期
売上高		急速上昇		
利益		最高水準		
顧客		早期大衆追随者		
競争		増加		
戦略				
戦略の焦点		自社ブランドの浸透		
戦略の強調点		ブランド選好		
4P's				
プロダクト		補助サービス		
プレイス		開放型		
プロモーション		プル		
プライス		低下		

　また，この時期は製品の数量が大幅に伸びる時期であるから，チャネルを徐々に開いて開放型チャネル政策へと移行し，流通マージンを減らしていく，というのが定石であろう。プロモーションも，これに合わせてプッシュ重視から，マスコミ利用のプル重視へと転換する。数量が伸びてさまざまなコストが低下するので価格も大衆的な価格へと値下げをする。これが一応の定石である。

　成長期の製品の具体例は，多数あげることができる。たとえばミニディスク（MD）プレーヤーは急速な成長を経験している。1994年に23万台が販売された後，翌95年には約79万台，96年には187万台が販売され，97年には500万台規模の市場になると予想されていた。この売上数量の推移が図3-3に示されてい

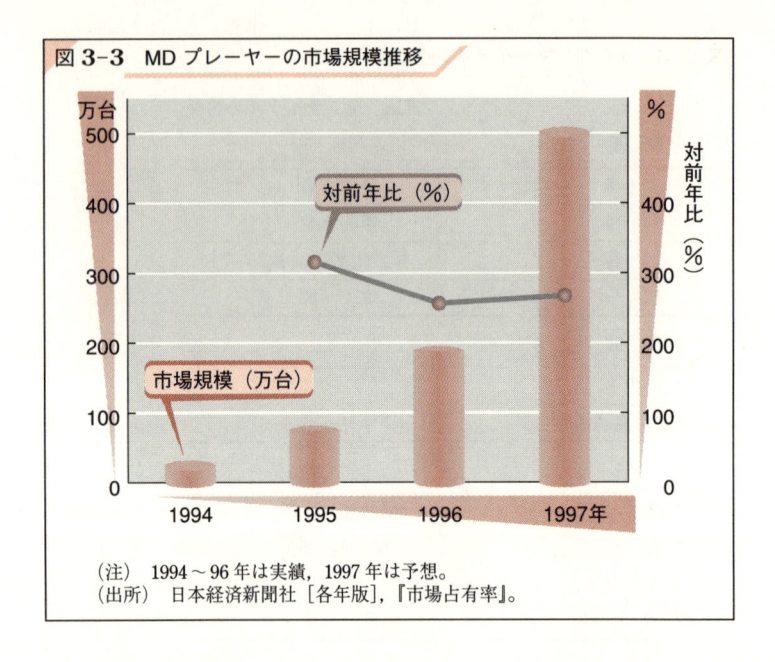

図 3-3 MD プレーヤーの市場規模推移

万台 / 市場規模（万台） / 対前年比（%）

（注） 1994〜96年は実績，1997年は予想。
（出所） 日本経済新聞社［各年版］，『市場占有率』。

る。毎年売上数量が倍以上に増えるという高成長を続けている。成長を開始したのであれば，MDというカテゴリーそのものを顧客に認知させることよりも，むしろ同じMDでも自社ブランドのMDが好まれるようにしなければならない。ソニーがMDの成長初期に行なっていたテレビ広告は，「MDが欲しい。MDが欲しい。……あっ，ソニーのMDだ」というメッセージを送っていた。まさにブランド選好を確立するという定石通りのマーケティング戦略であった。

3 成　熟　期

> **1. ブランド・ロイヤルティ**

　成長期には高かった業界の成長率も徐々に緩やかになる。何パーセントぐらいが「高成長」といえるのかについては，業界しだいで意見が別れるが，通常は10パーセントぐらいのところが高成長と緩慢な成長の分かれ目である。利益も徐々に少なくなり始める。成熟の初期にピークを迎えていた企業数も，成熟期の半ばから後期にかけて撤退するものも出てきて，徐々に少なくなっていく。顧客は，後期大衆追随者になる。つまり，「ふつうの人」なのだが，若干保守的で新しいものを取り入れるのに慎重な人たちである。

　この時期の最重要問題は，成長のないところで企業が互いにシェアを奪い合うところにある。成長がないということはゼロサムだということ，つまり誰かが売上高を高めれば，他の誰かが売上げを落としてしまうということである。成長期には互いに切磋琢磨することで市場全体が広がる可能性が残されていた。新規に顧客が出現するからである。それ故，互いにブランド選好を目指して競争しているのだが，市場の成長が急速なので，相手の顧客を奪うよりも，むしろ次々に増えていく新しい顧客を自社ブランドに引きつけるのに追われ，本当の意味での「殴り合い」の闘いにはなりにくい。ところが，成長が止まれば，自社の売上げを伸ばすのに相手の顧客を奪うしかない。競争相手の企業もそう考えている。だから，自分の獲得した顧客は離れにくいように，相手の

顧客はできるだけ浮気させるように，というのが成熟期の競争の基本になる。言い換えれば，自社製品に対するブランド・ロイヤルティを確立した上で，他社のシェアを奪うのである。**ブランド・ロイヤルティ**とは，特定のブランドを顧客が繰り返し購入する忠実さのことである。ビールなら「キリンラガー」しか飲まないとか，「スーパードライ」しか飲まない，というのはブランド・ロイヤルティが高いことを示している。これに対して「どん兵衛」も食べれば，「赤いきつね」も食べるというのはブランド・ロイヤルティが低いということである。

2. 成熟期の戦略定石

成熟期のマーケティング・ミックスの定石は，トップ企業なのか2番手企業なのかなど，市場における地位によっても大幅に異なる。それ故，成熟期のマーケティング戦略については，次章の「市場地位別のマーケティング戦略」で詳しく説明することにする。身のまわりに

表3-4　成熟期のマーケティング戦略の定石

特徴	製品ライフサイクルの特徴				
	導入期	成長期	成熟期	衰退期
売上高			緩慢な上昇 or 下降	
利益			下降	
顧客			後期大衆追随者	
競争			企業数多数	
戦略				
戦略の焦点			シェアの防衛など	
戦略の強調点			地位別に異なる	

ある製品のほとんどは,この成熟期にある。自動車でも,ビデオでも,既に市場の成長率は高くない。限られた需要量をいかに奪い合うかという熾烈な競争が展開される成熟期こそ,マーケターの知恵が試される重要な期間である。次章をしっかり読んで成熟期のマーケティング戦略の考え方を身につけて欲しい。

4 衰退期

衰退期は,売上げが減少し,再び利益が少なくなる時期である。市場を見限って退出していく企業が増えるので,競争相手も少なくなる。この時期の顧客は,遅期追随者とよばれる。これは非常に保守的な人で,身のまわりの皆が全員買ってから初めて自分もその製品を試してみるとか,情報に疎くてこの頃になって初めてその製品の存在を知った,などといったタイプの人である。

この時期のマーケティング戦略にとって最も重要な問題は,言うまでもなく市場全体の売上規模が減少していることである。この売上規模の減少に対して,3つの選択肢の中からいずれかを選んで対応する必要があるであろう。3つの選択肢とは,撤退・展開・存続である。

(1) 撤退:タイミングをみはからって撤退する。
(2) 展開:市場自体をもう一度拡大する方法を見つけ出すか,その製品の新しい用途や市場を見つけ出す。
(3) 存続:他企業がすべて撤退するのを待って残存者利益を獲得する。

表 3-5 衰退期のマーケティング戦略の定石

特徴	製品ライフサイクルの特徴			
	導入期	成長期	成熟期	衰退期
売上高				下降
利益				低水準 or ゼロ
顧客				遅期追随者
競争				減少
戦略				
戦略の焦点				撤退のタイミングなど
戦略の強調点				選択肢多数
4P's				
プロダクト				①撤退:タイミング
プレイス				②展開:製品改良,用途拡大,市場開拓
プロモーション				
プライス				③存続:残存者利益

1. 撤退:タイミングの取り方が難しい

撤退のタイミングが優れていた例としては,富士写真フイルムの8ミリ・カメラからの撤退がある。今日8ミリ・カメラを使っているのは,自主製作映画を手がけている人々など,一部の特殊なユーザーのみであるが,かつて8ミリ・ビデオ・ムービー・カメラが登場するずっと前には,子供の動く姿を記録して残しておきたいと思ったら8ミリ・カメラを使うしか手がなかった。子供の運動会に多くのお父さんたちが,「フジカシングル8」などをもって出かけ,現像してから家で映写していた時代があったのである。これらの企業はビデオが登場するといち早く8ミリ・カメラの市場から撤退し,自社の経営資源の多くを他の分野へと

図 **3-4**　国内出荷台数推移（8ミリ・カメラ及びビデオ・カメラ）

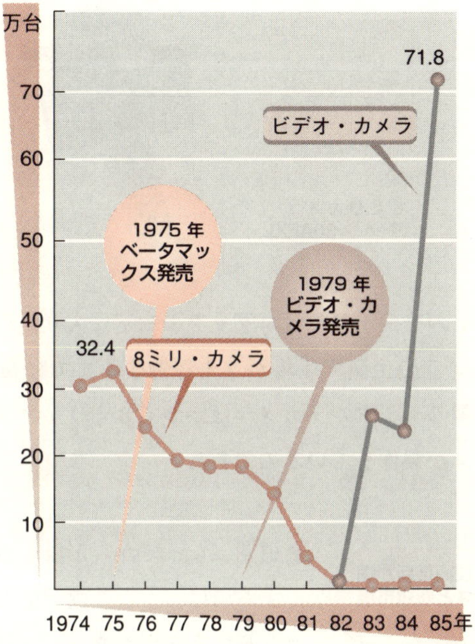

万台
70
60
50
40
30
20
10
71.8
ビデオ・カメラ
1975年
ベータマックス発売
1979年
ビデオ・カメラ発売
32.4
8ミリ・カメラ
1974
75
76
77
78
79
80
81
82
83
84
85年

（出所）　経営アカデミー経営意思決定コース［1990］，30頁より一部修正して掲載。

シフトしていった。図 **3-4** に見られるように，実際には家庭用据え置き型ビデオが登場（1975年）してから，持ち運びに便利なビデオ・カメラが出るまでの間，かなり長い期間があったのだが，消費者の多くはいずれ来るはずのビデオの時代を予感して8ミリ・カメラの購買を急速に控えるようになっていった。この市場の衰退傾向を見て富士写真フイルムは，かなり早いタイミングで撤退している。後に残されたエルモやチノンなどのメーカーは撤退が遅れ，他の業種への多角化も遅れて業績が大幅に悪化してし

8ミリカメラ
チノン 30AFXL

まった。その後、チノンはコダックの傘下に入り、現在ではデジタル・カメラの生産で工場がフル稼働するまでに復活している。コダック製のデジタル・カメラはかつて8ミリ・カメラを作っていたチノンが製作しているのである。

| 2. 展開：技術革新か海外市場など新規市場開拓 |

衰退期になってから市場をもう一度大きくするには、かなり画期的なイノベーションをする必要がある。一時期完全に衰退期に入っていた国内の一眼レフ・カメラ市場を再び活性化するには、ミノルタの「α7000」に代表されるオートフォーカス化の技術革新が必要だった。図3-5に見られるように、α7000が発売された1985年には、それまで減少一辺倒だった一眼レフ・カメラの生産金額が一時的に上向いている。しかしこれほど新しい技術を用いた製品が登場しても、その効果はたかだか1年程度であったことも、同様にこの図から読みとれるであろう。結局のところ、オートフォーカス一眼レフも一眼レフ市場そのものの衰退を遅らせたけれども、根本的な解決はしなかったようである。

市場自体を大きくするのではなく、他の市場を見つけ出す手も

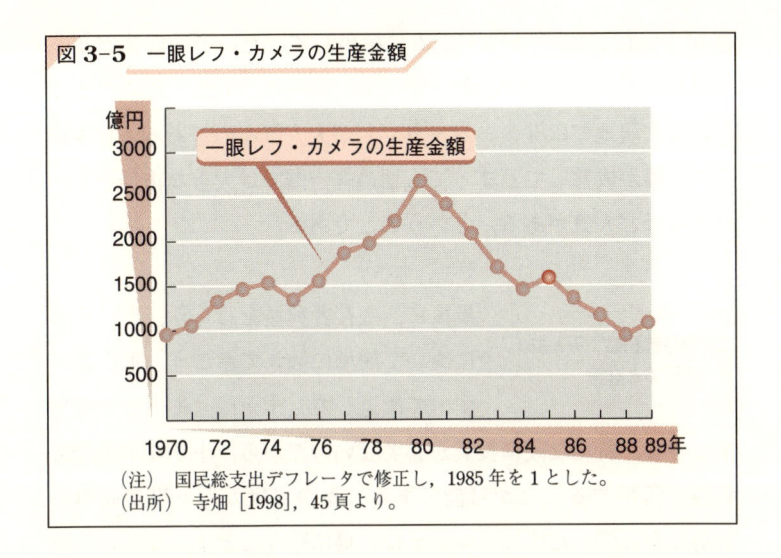

図 3-5　一眼レフ・カメラの生産金額

（注）　国民総支出デフレータで修正し、1985年を1とした。
（出所）　寺畑 [1998]、45頁より。

ある。国内市場が成熟しても、海外の市場ではまだ導入期かもしれない。ホンダの「スーパーカブ」は、かつては日本でも、アメリカでも大成功を収め、その後現在に至るまでに1890万台も生産され続けている超ロングセラーである。実は今の日本でも「スーパーカブ」をベースにして特別仕様のバイクを作ってくれる店などがあり、若い女性にも人気があるのだが、今ではむしろ、おそば屋さんなどの出前用バイクとしての方が一般にはよく知られているかもしれない。そういう意味では既に日本国内の市場は成熟してしまっていると言えるだろう。

しかしスーパーカブは現在でもタイやインドネシアなどのいわゆるアジア経済圏では売れており、ホンダも現地生産している。あまり良い話ではないが、アジア経済圏における「スーパーカブ」の人気を象徴する事件が1997年頃に起こった。バイクの窃盗・輸出グループが逮捕されたのである。彼らは日本国内でバイクを

盗み，合計1000台もベトナムに輸出していた。その窃盗グループが盗んだバイクの半数以上が「スーパーカブ」だったのである。それほど現地では「スーパーカブ」が大人気なのである。日本国内の市場が成熟してしまっても他の経済圏では大きな市場を見いだせるほど人気がある，ということである。

3. 残存者利益：みんなが残ると悲惨

　最後に，残存者利益をねらう，という手について簡単に触れておこう。他企業がすべて撤退してしまえば，まったく競争がないし，新たな設備投資が必要ないのだから，小さな市場でも利益を獲得することが可能である。かつて板ガム市場が成熟し，衰退しかけていた時に，ロッテは市場に踏みとどまっていた。ロッテはこの業界で最も高いシェアをもっていたので大きな利益を獲得できたといわれている。その後，口臭を気にする人が増え，現在再びガムの市場は10パーセント前後の高成長を経験し始め，残存者の稼いでいる利益がバカにならないと多くの企業が思い始めた。特にワーナー・ランバート社は大人がキスするときにかむ粒ガムというイメージの刺激的なコマーシャルを使って「クロレッツ」を市場に導入して奮戦している。

　自社のみが残るのであれば，この手は本当に「美味しい」のだが，他社もまた残存者利益を求めて撤退しないかもしれない。多くの会社が残存者利益を求めて撤退しないことに決めれば，結局，悲惨な泥沼の競争になり，皆が儲からないということになってしまう。

5 まとめ

表 3-6 製品ライフサイクルの段階別に見たマーケティング戦略の定石のまとめ

製品ライフサイクルの段階別特徴

特徴	導入期		成長期	成熟期	衰退期
売上高	低水準		急速上昇	緩慢な上昇 or 下降	下降
利益	僅少もしくはマイナス		最高水準	下降	低水準 or ゼロ
顧客	イノベーター/マニア		早期マスマーケット	後期マスマーケット	遅期追随者
競争	ほとんどなし		増加	企業数多数	減少
戦略	上澄み価格政策	浸透価格政策			
戦略の焦点	市場の拡大	市場の拡大	自社ブランドの浸透	シェアの防衛など	撤退のタイミングなど
戦略の強調点	製品認知	低価格化	ブランド選好	地位別に異なる	選択肢多数
4P's					
プロダクト	本質サービス	本質サービス	補助的サービス		①撤退：タイミング
プレイス	閉鎖型	開放型	開放型		②展開：製品改良，用途拡大，市場開拓
プロモーション	プッシュ	プル	プル		③存続：残存者利益
プライス	高水準	低水準	低下		

（出所） Kotler [1980], 邦訳, 240 頁より一部変更して掲載。

6 若干の注意事項

　製品ライフサイクルという考え方は単純なので分かりやすく，便利である。だが現実にこの考え方を活用しようとするには，次の2点に注意する必要がある。

1. 変則的な製品ライフサイクル

　ひとつめは，特定の製品のライフサイクルを自分で描いてみればすぐに分かることだが，この章の初めに示した図3-1のような「美しい」製品ライフサイクルの曲線は現実にはまず観察不可能だということである。非常に長い導入期を経るものもあれば，短期間の導入期の後に一気に成長期に入るものもある。ガムのように，成熟期から衰退期に入ったと見えた後で，再び第2の成長期に入るものもある。このような変則的なライフサイクルは何故出現するのだろうか。その理由は際だって単純である。つまり，製品や地域やタイミングごとに買い手の行動や社会構造なども異なっており，その異なる行動によって全体的な普及パターンが異なってくるのである。要するに製品ライフサイクルのようなパターンは，その背後にある社会の特徴が異なれば，やはり異なるパターンをとるということである。自分がマーケティング戦略をたてようとしている製品に関して，その顧客集団がどのような経路で情報を取得し，どのような購買意思決定を行なっているのかという点をそのつど深く見きわめなければならないのである。くれぐれも，S字型の曲線を当てはめればOKだなどといった単

純すぎる思考に陥らないように気を付けるべきであろう。

> **2. 自己成就的予言が成り立つ製品ライフサイクル**

もうひとつの注意点は,「自己成就的予言」と呼ばれる現象あるいはコンセプトに関するものである。自己成就的予言 (self-fulfilling prophecy) とは変なことばだ。自分で自分を実現してしまう予言とは,その予言を出さなければ,予言通りにならなかったのに,予言してしまったがためにその通りに現実が変わってしまった,という現象をさす。具体例の方が分かりやすい。いま,すべての経済活動が順調で,銀行も健全な経営をしているとしよう。だが,何のはずみか,「○○銀行が倒産する」と有名なエコノミストがテレビで話してしまったとしよう。すると動揺した人々は自分のおカネだけは引き出しておこうと考えて銀行に殺到するであろう。銀行は預かったカネをそのまま金庫にしまっているわけではなく,大部分を貸し出しているから,預金者が殺到して預金量の3パーセントでも引出しを要求すれば,本当に支払えなくなる。支払えなくなったのを見て預金者は本当にこの銀行が潰れると思うかもしれない。このような悪循環が重なれば,本来は倒産するはずのなかった銀行が倒産し,このエコノミストの予言は実現してしまうことになる。

　笑い事ではない。1973年の12月に「愛知県の豊川信金が倒産する」というデマが流れ,預金総額約360億円のうち14億6640万円が引き出されるという取り付け騒ぎが起こった。幸い,デマだということがはっきりして事なきを得た。

　同様に,1990年代に入ってバブルが崩壊した後の日本経済も,この自己成就的予言によって経済危機がさらに深刻化したように

見える。「景気はまだまだ悪化する」という予言を皆が信じれば,将来の不安に対処するために皆お金を使わなくなる。そうすればモノが売れなくなって本当に不況が深刻化してしまうであろう。

　もともと株式などは,他の誰かが高く買うに違いない,という予想の基(もと)に高い価格で取引されている。皆が株価が上がると考えれば,上がる前に買っておいた方が得だから,という理由で需要が増え,実際に価格が上がる。不動産についても同様の現象が起こりうる。実際,バブル期（1990年前後）には,自分で住むために不動産を取得するという需要よりも,誰かが後でもっと高いカネを払って買うであろうという転売可能性を皆が信じていたために不動産価格が高騰(こうとう)していった,という側面が強い。

　このように皆の期待が価格を大幅に左右するのであれば,逆の方向にも自己成就的予言のサイクルは動いていく。「株価はもっと下がるのではないか」とか「土地の値段はまだもう1段の底がある」と多くの人々が信じてしまえば,実際に買おうという人々が減り,需要が減少して本当に価格が下がってしまう。銀行の保有する株や不動産の資産価値も,同様に低下してしまう。これを見て海外の銀行は日本の銀行にはなかなか貸さないようになる。資金繰りに困った銀行は,手許におカネを残しておこうとして,貸し渋る。貸し渋りが顕著になると,ちょっと危なかっただけの中小企業が本当に危なくなり,不渡(ふわた)り手形を出し倒産する。こうして実物経済を担っている企業にも影響が出てきて,本当の不況になってしまう。このような危機が1998年の日本経済に迫っていた。自己成就的予言の罠はいたるところに存在するのである。

　身近な例でも同じ現象を見つけることができる。自分は皆から嫌われている,と誤って思い込んでいる人は,どうせ嫌われるな

ら自分の方から先に嫌ってしまえとばかり，回りの人に冷たい態度を示しがちである。そのため，本当に嫌われてしまう。逆に自分が愛されていると思っている人は，心に余裕ができ，他人に対しても優しく振る舞うことができ，結果として本当に愛されることになる。

　自己成就的予言の説明で，ちょっと横道にそれてしまったが，製品ライフサイクルの議論に戻ろう。

　製品ライフサイクルにも同じように自己成就的予言の議論が成り立つ時がある。つまり，ある製品が既に衰退期に入ったと思い込み，マーケティング支出を抑え，生産設備の近代化を手控え，製品の改良を止めてしまえば，本当に顧客の側から相手にされなくなってしまう場合があるということである。特に大企業の場合には自分たちのとる戦略が市場に対して大きなインパクトを及ぼすので注意するべきである。この製品は衰退期に入ったと大きな企業が決めつけてしまえば，本来はまだまだ需要が伸びたかもしれないのに，本当に衰退してしまうということがあり得るのである。やはり，S字型の曲線をそのまま当てはめるだけの作業にはくれぐれも注意するべきであろう。われわれは常に，背後にある顧客のリアルな姿を想像し，本当に人々はもうこの製品を買う気はないのか，あるいは少し改良を加えることで寿命を延ばすことができるのか，といったことを考え続けなければならないのである。

7　カップヌードルのケース
●導入期のマーケティング戦略

　1971年に発売された日清食品の「カップヌードル」はいまだにカップ入り即席めんの市場のトップ・ブランドである。1997年に行なわれた10代～30代の消費者からの支持率調査でも，2位以下を大きく引き離したダントツ1位であった。ちなみに第2位と第3位はそれぞれ「日清ラ王」と「赤いきつね」である。

　カップヌードルの導入期のターゲット市場は必ずしも現在のそれとは一致しない。当時，袋入りの即席めんが「箸とどんぶりさえあればいつでもどこでも食べられる」食品だったのに対して，カップヌードルはどんぶりを商品に合体させ，フォークを付けたことで「熱いお湯さえあればいつでもどこでも食べられる」という新しい本質サービスを提供する製品として登場した。そのため，主として家でしか食べることのできない袋入り即席めんに対して，カップヌードルはアウトドアで食べるという市場を開拓したのである。それだけではない。当時，めんの量を増やして徐々に主食化していった袋入りめんに対し，カップヌードルの容量は65グラムと少なかった。明らかに主食ではなく，間食として食べるスナックという位置付けであった。このような新しいコンセプトを表現する道具もそろっていた。どんぶりはそれ自体がパッケージである。横文字の商品名とおまけのフォーク（昔は付いていた）は，袋入りの即席めんと明確な差別化をする上で決定的に重要な要素であった。プライスも袋入りめんが35円であった時に1個100円と高めの設定であった。

当初，こんな高いものは売れるはずがない，と問屋は厳しい反応を示した。しかし当時，流通業界は変化のまっただなかにいた。ダイエーや西友，イトーヨーカ堂などのスーパーがすさまじい勢いで店舗展開をはかっており，大量消費のためのチャネルが整備されつつあった。カップヌードルは大規模なテレビ・コマーシャルを使い，このようなチャネルを主として利用して当初から急速な成長を経験した。つまり開放型のチャネル政策とプル戦略を採用したのであった。

　導入期のプロモーションとして行なわれたのは大規模なテレビ・コマーシャルだけではない。他にも多様な方法を試して，この新しい製品を顧客に広く認知させていった。1971年はマクドナルド1号店が銀座にオープンした年である。日本マクドナルドの藤田社長が狙った通り，日本では馴染みのなかった屋外で歩きながら食べるという習慣を，銀座を歩く外国人が実践して日本人に見せ始めていた。日本の若者の間で歩きながら食べるという習慣が徐々に出来始めた頃である。これを見た日清も，毎週日曜日に銀座でカップヌードルの対面販売を行なった。銀ブラをしている人にお湯を入れたカップヌードルを100円で販売したのである。銀座の歩行者天国でカップヌードルを食べながら歩いている若者の姿が話題になり，マスコミにもとり上げられ広報の効果も得られた。

　日本での市場導入がプル主体に行なわれたのに対して，米国ではプッシュを主体にした市場導入が行なわれた。日清はまず女性雑誌に広告を出した。女性に販売することが目的というよりも，スーパーに製品を納入するブローカーの妻たちを引きつけるためだった。米国社会で受けいれられる商品にするために，しょうゆ

味をチキンやポーク，ビーフ味に変更し，名前も「カップ・オブ・ヌードル」に変えた。売場も，当時成長期にあったスープ売場を選び，パスタではなくスープとして位置づけて売り出している。当初ロスアンゼルスから始まった市場導入は1970年代半ばには西海岸全域へと広げられ，さらに1978年には東海岸にも本格的な市場導入が開始された。このような努力が実って，日清は米国の即席めん市場の約60パーセントのシェアを維持している。

　日清はその後カップヌードルのバリエーションを増やしている。当初強調点の置かれていた「アウトドア」はその後それほど強調されなくなり，現在では中学・高校の食べ盛りの子供たちをまず第1のターゲットとして，彼らが間食に食べるスナックという点を強調している。

　ただし中学・高校生のみをターゲットにしているというのではない。むしろ中学生・高校生をカップヌードルの顧客として取り込み，彼（彼女）らが成人し，中高年に達しても食べ続ける，というシナリオを日清は抱いている。近年のテレビ・コマーシャルでも，ノリピーから仲代達矢まで幅広い年齢層のキャラクターを使って，昔食べた「なつかしさ」を強調している。

　人間は味覚に関して保守的であると言われているので，日清はカップヌードルの味を基本的には変えていない。しかし，「なつかしい」と思って食べたときに，現代のようなグルメの時代に全く同じ味では，「なんだ，こんなに不味いものを食べていたのか」という気持ちを起こさせてしまう。それ故，質的には徐々に向上させるよう努力を払っており，絶えざる改良を加えている。

　主たるターゲットとして取り込まれた中学生や高校生は時と共に年をとり，また次に新たな世代の若い人々が顧客グループに入

ってくるので，常に新しい世代に対してフィットするようなマーケティング・ミックスを提供するべく日清は努力をしている。その時点その時点で，中学生・高校生に人気のあるタレントなどをコマーシャルに起用し，夕食後以降のゴールデン・タイムに放映している。東京本社ビルの地下には彼らに人気のあるロック・コンサートを開くためのコンサート・ホールまで作っている。「時代時代に合わせて若者の嗜好の動きと商品のイメージを重ね合わせる」のが狙いだという。製品の導入から20年を経て，成熟期に至るまで常にカップ入り即席めん市場のトップ・ブランドとして君臨し続けてきた背後にはこのような緻密なマーケティング戦略が存在する。個々の製品のライフサイクルが長くなるか短くなるか。これはあらかじめ決められたものではなく，マーケティング戦略によって作り出されるものなのである。

第4章 市場地位別のマーケティング戦略

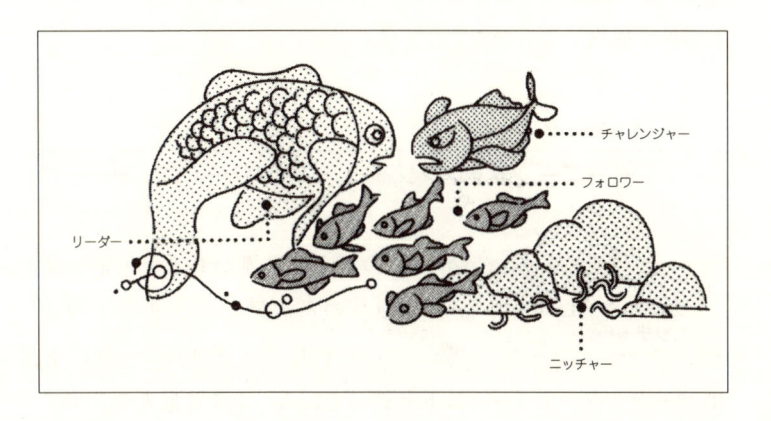

- リーダー
- チャレンジャー
- フォロワー
- ニッチャー

　ターゲット市場のニーズとマーケティング・ミックスの間に適合関係（フィット）を作り上げるという作業は，その製品がライフサイクル上のどこに位置しているかによって影響を受けるだけではない。その製品を提供している企業が，業界の中で占めている地位によっても大幅に影響を受ける。業界のトップ企業だからこそとれる戦略もあれば，トップ企業だからとれない戦略もある。逆に小規模な企業であれば，トップ企業とまったく同じことなど出来るわけはないし，小規模であることをいかして積極的に推し進めることのできる戦略があるはずだ。前章が時間の経過とともにターゲット市場とマーケティング・ミックスの関係づけをどのように変えていくか，という問題を捉えたものであるのに対し，この章は競争相手との力関係に応じてターゲット市場とマーケティング・ミックスをどのように関係づけたらよいのかを考察する。

市場地位が決まり,互いに相手の顧客を奪い合うマーケティング競争の議論は,市場が成熟した時期に最も当てはまるものである。それ故,市場地位別のマーケティング戦略の議論は,主として成長後期から成熟期を通じてマーケティング戦略を考える上で有効な指針を提供するものなのである。

1 4つのタイプ
●リーダー,チャレンジャー,フォロワー,ニッチャー

1. リーダー,チャレンジャー,フォロワー,ニッチャー

図4-1のような業界があると仮定しよう。トップの企業が45パーセントの市場シェアをもち,以下30パーセント,20パーセント,5パーセントと続いている。ここで最大のシェアを握っている企業はリーダーと呼ばれる。30パーセントのシェアをもっている2番手の企業が,自らトップに立つことを目指してリーダーに対する攻撃を果敢に加えているとしよう。このような企業をチャレンジャーという。20パーセントのシェアをもつ3番手企業は,出来るだけ業界内で争いが起こらず,世の中が平穏無事に流れていくことを望んでいるとしよう。あまり魅力的な顧客を獲得してしまうと,リーダー企業が激しい競争を仕掛けてくる。だからリーダー企業やチャレンジャー企業があまり魅力を感じないようなセグメントで生きていこう。激しい価格競争やプロモーション競争が起こらなければ,十分利潤を獲得できる。トップに立つ必要はない。今のままで何とかしのいでいきたい。しかも機会をうかがいながら,したたかに利潤を獲得し,成長していこう。こういった企業をフォロワーをいう。

図 4-1 仮想的な業界

| 45％ | 30％ | 20％ | 5％ |

リーダー　チャレンジャー　フォロワー　ニッチャー

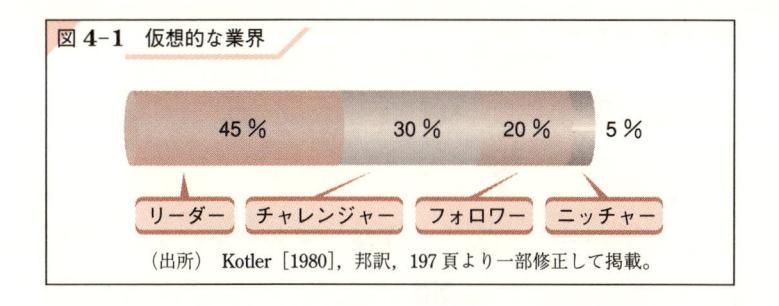

（出所）　Kotler［1980］，邦訳，197頁より一部修正して掲載。

　最後に，4番手の企業に注目してみよう。この企業は高々5パーセントのシェアしかもたないけれども，この企業の提供している製品・サービスは非常にユニークで，顧客たちの中には他の企業の提供する製品・サービスの価格が下がってもこの4番手企業の製品・サービスを買おうと思っている人々がいる。こういった企業をニッチャーと呼ぶ。ニッチ（niche）は隙間市場と訳されることもある。本来は花瓶とか胸像を置くための壁のくぼみのことだが，生態学で使われるニッチの方がこのことばの意味をイメージしやすい。たとえば水中で生息している生物たちを考えてみよう。大きな魚は小さな魚とミミズを食べ，小さな魚はミミズを食べる。これではミミズは絶滅してしまう。しかしミミズが，自分には入れるけれども魚には入って来られないような大きな石の下のわずかなスペースを生息場所として選べば，絶滅することなく長年種を保存できる。この"石の下のスペース"がミミズにとってのニッチである。大きな魚をリーダー企業，小さな魚をフォロワーと置き換えれば，ニッチャー（ニッチで生きる企業）の意味はすぐ理解できるだろう。

図 4-2 市場地位の分類法

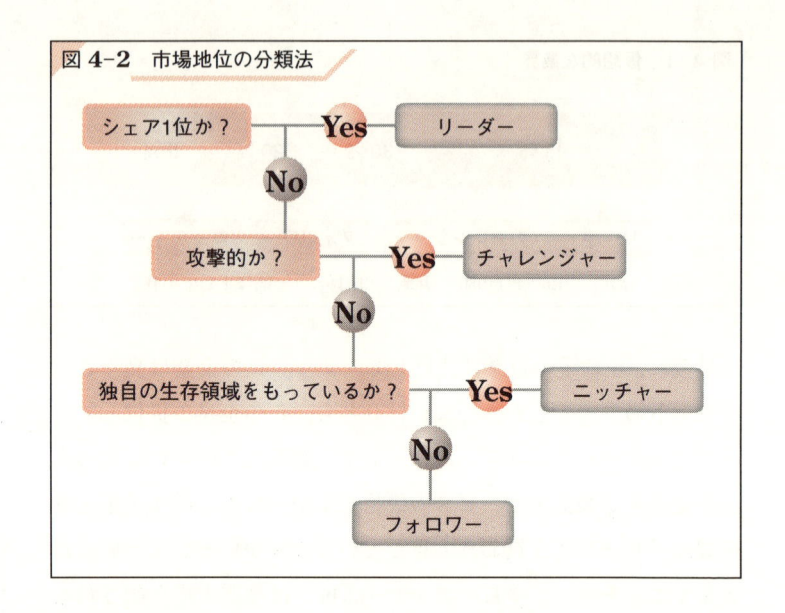

- シェア1位か？ → **Yes** → リーダー
- **No** ↓
- 攻撃的か？ → **Yes** → チャレンジャー
- **No** ↓
- 独自の生存領域をもっているか？ → **Yes** → ニッチャー
- **No** ↓
- フォロワー

2. コトラーの分類法

　ここで説明した市場地位の分類法は、フィリップ・コトラーという有名なマーケティング学者のものに主として依拠している。彼の分類法をもう少し図式的に示したのが図 4-2 である。まずシェア 1 位の会社はリーダーに分類される。次いでシェア 2 位以下の会社で、シェアを拡大してリーダーに取って代わろうとする攻撃性をもっている会社をチャレンジャーと分類する。必ずしもトップをねらっていない（攻撃性がない）会社の中で、その会社独自の生存領域を明確に持っているものをニッチャーと呼び、持っていないものをフォロワーと呼ぶ。これがコトラーの分類法である。若干面倒な分類法だが、現実の業界を分析しようとするときには、実はこの分類法が最も使える。

　たとえば、日本の乗用車市場における市場シェアの順位が表

表 4-1　乗用車（軽自動車を除く）の市場シェア（1998年度）

（単位：％）

1	トヨタ自動車	36.2
2	日産自動車	21.8
3	本田技研工業	14.4
4	マツダ	6.7
5	三菱自動車工業	6.1
	その他	14.8
	合計	100.0

（出所）『日経産業新聞』1999年7月15日，19頁，より一部修正して掲載。

4-1 に示されている。1位はトヨタ自動車であり，明らかにこれがリーダーである。2位以下の会社でトップを目指して頑張っているのは，日産自動車と本田技研であろう。この2社をチャレンジャーに分類しよう。三菱自動車とマツダは，必ずしもトップをねらっているわけではなさそうだ。それぞれ独特の根強い人気車種はあるけれども，ニッチャーに分類するにはやや規模が大きすぎるし，車種が多すぎるように見える。だから一応，これらをフォロワーと分類しておこう。典型的なニッチャーとしては，光岡のように，独特のクルマを作って売ったり，あるいはキットで販売したりしている会社が一番すっきり当てはまりそうだ。いろいろ細かいところまでみると，「いや，日産はフォロワーにするべきではないか」とか，「三菱はパジェロがあるからニッチャーに分類するべきだ」といった議論はあり得るだろう。しかし，世の中には理論通りに純粋なフォロワーとか純粋なチャレンジャーなどといったものが用意されているわけではない。おおよその点でだいたい分類できるということが大事なのである。

2 トップ・シェアの魅力

● なぜナンバーワンを目指すのか

　ひとつの業界内の企業が上で示したような4つのタイプに分かれ，それぞれのタイプの企業が異なる戦略を立てなければならないのは，市場シェアの格差が主たる原因である。市場シェアが大きいほど，企業にはさまざまなメリットが生じる。たとえば流通業者に対する交渉力が強くなり，値引きに応じなくてもすむようになるとか，市場でトップ・シェアであることによって顧客が頻繁にその会社の製品を目にするようになり，最も親しみやすいブランドとして認知されやすいとか，最も多くの顧客を相手にしているので，幅広い層の顧客情報を獲得しやすい，などがあるだろう。それら数多くのメリットのうち，ここでは，①小売店におけるシェルフ・スペースの確保という点と，②生産工程におけるメリットの2つを説明しておこう。

1. シェルフ・スペース

　流通業者に圧力などかけなくても，市場シェア・トップという地位は自然に有利な状況を作り出してくれる。たとえば小売店におけるシェルフ・スペースを考えてみよう。小売店のシェルフ・スペース，すなわち棚の面積は限られている。限られたスペースには，できるだけ売れる製品を並べておきたい。次々に売れる製品を置いておけば，在庫の回転が良くなり，同じスペースでもより多くの売上高を達成できる。在庫の回転が良くなれば，製品の鮮度が維持できるという点でも有利である。それ故，売れる確率の高い製品は最後ま

でシェルフ・スペースを維持し，2番手や3番手はいつでも見直され，「もう納品しないで結構です」と言われてしまう可能性がある。

　この問題はとりわけ，スーパーなどがプライベート・ブランド（PB）と呼ばれる自社ブランドの製品を開発し始めると顕著に表われる。プライベート・ブランドというのは，スーパーなどの小売店が直接下請けに依頼して製品を作らせて，その小売店のブランドを付けて売る製品のことである。たとえばセブン－イレブンに行くと，森永の1リットル牛乳パックばかりでなく，セブン－イレブンのブランド名を付けた牛乳パックが置いてある。これがプライベート・ブランドである。これに対して，森永の牛乳のように，特定の小売店のブランドが付いているのではなく，メーカー側が全国的に使用しているブランドが付いているものをナショナル・ブランド（NB）という。

　このようなプライベート・ブランドを小売店が企画した場合，トップ・シェアの商品はシェルフ・スペースから外さないけれども，2番手・3番手の商品は消えてしまう可能性がある。たとえばヨーグルトでもスーパーなどの大手量販店が自社ブランドを1990年代の半ば頃から次々と導入し始めた。このプライベート・ブランドの投入によって，2番手・3番手の商品が切り捨てられてしまったケースが多発したという。その結果，それまでのトップ・ブランドであった「明治ブルガリアヨーグルト」は，強力な競争相手だった雪印の「ナチュレ」や森永の「ビヒダス」よりも，むしろ新参者のプライベート・ブランドと競争すれば良いということになった。「ナチュレ」や「ビヒダス」がシェアを落としていったのに対して，プライベート・ブランドと「明治ブル

ガリア・ヨーグルト」は共にシェアを高めた。「ナチュレ」や「ビヒダス」が抜けた穴を「ブルガリア・ヨーグルト」とプライベート・ブランドが埋めたのである。「明治ブルガリア・ヨーグルト」は、それまで11パーセント程度だったシェアを14パーセント以上にまで高めた。もちろん明治は自分自身で製品改良等に努力しているのだけれども、それまでトップ・シェアであったという事実自体から受けた恩恵も大きかったのである。

2. 生産コストのメリット

流通やブランドの知名度などばかりでなく、市場シェアが大きいことによって生産コスト面でも大きなメリットが生まれる。トップ・シェアであることから生まれる生産コストのメリットは2つある。

(1) 規模の経済性

ひとつめのメリットは規模の経済性と呼ばれるものである。規模の経済性というのは、一定の期間内、たとえば1カ月とか1年という期間内に大量の製品を作った方が少量の製品を作るよりも、1個当たりのコストが低くなることをいう。たとえば個別の工場レベルで生じる規模の経済性を考えるために、架空の例ではあるが次のような状況を想像してみてほしい。自動車のエンジンを月産10万個生産できる工場でフル操業している企業は、月産100個の生産能力をもつ工場をフル操業している企業よりも1個当たりのコストを低く抑えることができるのが通常である。10万個のエンジンを生産する場合には、自動化された設備を用いることができる、というのが最も一般的な理由であろう。市場シェア45パーセントの会社と30パーセントの会社がそれぞれ自社のシ

ェアに見合った生産能力の工場をもっていたとしたら，明らかに45パーセントのシェアをもつ企業の方が1個当たり低いコストで生産できるのである。

(2) **経験効果**

もうひとつのメリットは経験効果と呼ばれるものである。この効果は，今までに特定の製品を数多く作ってきて，経験を積んでいる企業の方が，その製品の生産の経験が乏しい企業よりも1個当たり安く作ることができる，という効果である。規模の経済性が一定の期間内で生じる効果であるのに対して，経験効果は過去の長い蓄積がものをいう効果である。たとえば，月産100個の生産能力をもつ工場が過去10年間操業してきたとしよう。ここに新たに参入する企業がやはり月産100個の工場を設立し，両社の設立した工場設備に新しさ古さの違いがないと仮定しよう。この場合，規模の経済性の差はないけれども，一方は過去10年間の経験の蓄積があり他方はまったく経験がないので，経験のある企業の方が低いコストで生産できるのである。これまで作ってきた経験から，工場労働者も熟練しているし，製品設計のエンジニアや工程設計のエンジニアも熟練している。これらの人々が経験から学習しているから，安く作れるのである。

経験効果はさまざまな製品分野で実際に測定されている。一般には「累積生産量が2倍になるごとに単位当たりのコストが一定の割合で低下する」と言われる。この関係をグラフに表わすと図**4-3**のようになる。「一定の割合」は製品ごとに異なるが，通常10パーセントから30パーセント程度である。もしも現在45パーセントのシェアをもつ企業と30パーセントのシェアをもつ企業が，製品の導入期から同じシェアの比率であったとすれば，ト

図 4-3　経験曲線

単位あたりコスト

累積生産量

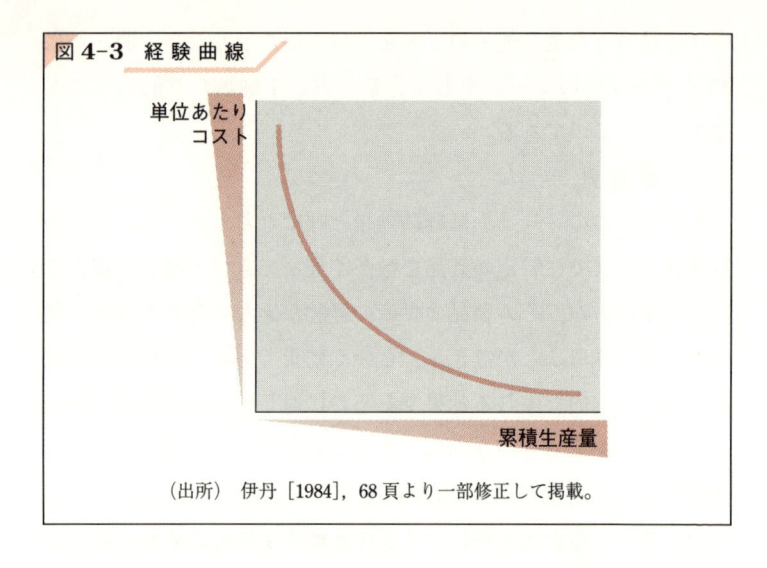

（出所）　伊丹［1984］，68頁より一部修正して掲載。

ップ企業の方が1.5倍の累積生産量（＝経験）を達成してきていることになる。細かい計算は示さないが，もし「累積生産量が2倍になるごとに単位当たりのコストが20パーセント低下していく」という状況であるとすれば，この1.5倍の累積生産量の差によって，トップ企業は2番手企業よりも現時点で12パーセント程度安い原価で生産することができる。これに規模の経済が加われば，随分大きなコスト差が出てしまうだろう。しかも，現在のシェアの差は，これから先の未来における累積生産量の差としてコストに影響を及ぼしていくことになる。だから，シェアが大きい方が現時点でも，将来時点でもコストの面で有利になるのである。

(3)　トップ・シェア：3つの留意点

規模の経済性と経験効果があるのなら，シェアの大きい企業ほどコスト面で有利になる。特定の製品のシェアを大きくすれば，

それだけで利潤が得られる。たしかにその通りだが，3つばかり注意をしておこう。ひとつは普通の業界ではシェアがある程度大きくなると，さまざまなデメリットも生じる。ある程度までの顧客獲得は低いコストで達成でき，それ故にシェアを高めることで利潤も増えていくが，それ以上のシェアを獲得するには利潤を犠牲にしなければならないという場合がある。たとえば，顧客の中には，判官びいきの人が必ずいる。巨人が強ければ，ただそれだけの理由で巨人が嫌いだという人が出てくる。もともと阪神ファンでもないのに，負けてるから可愛そうという，ただそれだけの理由でにわか阪神ファンになってしまう人がいる。リーダー企業に対しても，「シェア1位だから嫌い」という人が必ずいる。リーダー企業がこのような人たちに自分の会社の製品を買ってもらおうとしたら大変なコストがかかる。また，そこに流通させるには非常にコストがかかるという地域にまで進出しなければならないというケースもあるだろう。この場合には，比較的簡単に流通させることのできる地域だけを対象にしている方が利潤獲得という点では望ましいはずである。

　シェアの大きさについて注意するべき第2のポイントは，シェア・トップのメリットが永続しない場合もある，ということである。技術革新によって既存の大規模な生産設備が陳腐化してしまったり，これまで長い年月を費やして蓄積してきた経験効果が陳腐化してしまう，といった場合がある。真空管を作るための設備や経験は，トランジスタを作るための設備や経験とは異なる。真空管でトップ・シェアだったからといって，トランジスタを安くは作れないのである。このような技術の交代期には特に注意をする必要がある。

第3番目の注意点は，規模の経済や経験効果を見る時には，同時にシナジー効果を調べる必要がある，ということである。**シナジー効果**とは，2つ以上の製品を別々の会社がそれぞれ独立に製造・販売しているよりも，同じ会社内で手掛けた方が安くなるという効果である。たとえば，複写機とパソコン用のレーザー・プリンタはかなりの部分が同じ部品で作られている。そのため，複写機会社とレーザー・プリンタ会社が別々に作っているよりも，両方を作っている会社の方がどちらの製品も安く作ることができる。実際，レーザー・プリンタのトップ企業であるキヤノンはミニコピアも大量に作っており，たとえ他の企業がキヤノンに匹敵するシェアをレーザー・プリンタ市場で獲得できたとしても，複写機も同程度の数量の生産をしない限りコスト面で競争できないと言われている。

　いろいろ注意しなければならないことはあるけれども，それでもやはりシェア1位には魅力がある。いったんトップをとれば，消費者にはナンバーワン・ブランドとして広く知られるし，流通業者や小売店がトップ企業に有利なように動いてくれたりするし，他社との生産コストの差もついてくる。安く作れて，シェア維持するにもカネがかからないから，利益は大きくなるはずである。だからトップという地位は魅力的なのである。非常に強いトップに対しても果敢にチャレンジする企業が常に現われてくるのには，それなりに理由があるのだ。

3　リーダーの戦略

　市場地位別のマーケティング戦略について考えるための基礎は固まった。まずはリーダー企業のとるべき戦略から考えてみよう。

　リーダー企業が目指している目標は，ナンバーワンを維持し，業界で最大の利潤を獲得することであろう。また現実の企業を観察していると，単に最大利潤を獲得することばかりでなく，業界ナンバーワンというプレステージを維持し続けることもリーダー企業の目標であるように思われる。企業人にとってナンバーワン企業であることは誇りであり，仕事をする喜びであったりする。このような目標を達成するためには基本的に次の3つの方向が考えられる。

(1)　**市場全体の拡大**：市場全体を大きくする
(2)　**シェア防衛**：現在のシェアを維持・防衛する
(3)　**シェア拡大**：現在のシェアをさらに拡大する

　このうち，3番目の現在のシェアの拡大は，先にも述べたようにその時のシェアの水準に依存する。たとえば既に60パーセントのシェアを保有している企業がさらに70パーセントへとシェア・アップを狙うのは本当に利潤を増やす方向か否かの判断が難しい問題である。その10パーセントを増やすために，儲からない地域へ製品を流通させなければならないとか，あるいは判官びいきの人を説得するために多大なコストを支払わなければならないということがあり得るからである。それ故，以下では，初めの2つの方向についてやや具体的に述べることにしよう。

1. 市場全体の拡大

市場全体を拡大し、その拡大した市場部分でも現在のトップ・シェアと同じシェアの比率を維持できるのであれば、市場が広がったことで最も利潤を獲得できるのはトップ企業だということになる。だから、トップ企業は進んで市場全体を拡大しようとするのである。実際、業界のリーダー企業は業界全体のことを考えるという傾向が強い。これらのリーダー企業が、その業界全体の成長を考えるのは、リーダー企業の社員が誇りと余裕をもっているからばかりでなく、そのように「皆のため」と考えることが自社の利益に直結しているという側面もあるからであろう。

市場全体を拡大するための方法は、さらに細かく見てみると3種類くらいに分類できる。

(1) 新しいユーザーを獲得する
(2) 新しい用途を見つけ出す
(3) 1回当たりの使用量を増やす

これら3種類のそれぞれについて具体例を織り交ぜながら説明していこう。

(1) 新しいユーザーの獲得

新しいユーザーを見つけ出す方法はさまざまである。たとえば、既存のターゲット・セグメントにもまだ自社製品を使用していない人がいれば、彼（彼女）たちに販売する努力を傾けることも可能であろう。この場合は、これまで以上の販売促進努力というのが定石であろう。

また、既存の製品を他のセグメントに向けて売り込むという手もある。たとえば、今まで女性用に売ってきたハンドクリームを男性にも売り込んだり、日本で売っていたしょうゆを米国市場に

導入したりするのである。

　より具体的な例では，主として女性向けだったものを男性向けにも製品化して売上げを伸ばし続けている「ビオレ毛穴すっきりパック」が典型であろう。もともと花王は1996年に主として女性向けの「ビオレ毛穴すっきりパック」を発売した。これは，年間1千万個も売れた大ヒット商品になった。1パック（10枚入り）で600円の低価格で，しかもシールをはるだけで鼻の毛穴汚れをとれるという簡便さ，その効果の高さがヒットの原因だったと言われている。女性用がある程度の普及率になったところで花王は男性用を1997年に発売した。男性用は，女性用の製品の横幅を6ミリほど大きくして，ネーミングを「メンズビオレ毛穴すっきりパック」に変更した程度で，製品の機能や価格は同じままである。そもそも普通の「ビオレ毛穴すっきりパック」の購買者は9割が女性，1割が男性だったが，男性向けの「メンズビオレ毛穴すっきりパック」の登場によって男性が25パーセントを占めるようになったという。

(2) 新しい用途の開発

　新しい用途の開発もその製品の市場を拡大する上で効果的な方法である。たとえば有名な例では，デュポン社のナイロンが次々と新たな用途開発を行なってきている。もともと戦時中に日本から輸入していた絹がアメリカ国内で不足し，落下傘部隊のパラシュートを作るための素材が不足したことをきっかけとして，ナイロンは開発された。その後，ナイロンは女性用ストッキングに新たな用途を見出し，ストッキングの次はブラウスやシャツに，さらには自動車用タイヤやカーペットにと用途開発は次々に進んでいき，需要量を大幅に拡大してきたのである。この種の例は素材

系産業に典型的に見られる。鉄鋼も，鉄道や船舶から鉄筋コンクリートのビルや自動車，さらには鉄骨の個人住宅へと需要を展開してきている。

(3) 1回当たりの使用量増

1回当たりの使用量を増やすという方法で有名なのは，かつて味の素が容器の穴を大きくしたという例であろう。穴が大きければ毎回知らぬまに多めに使用してしまうだろう。もうひとつ古典的な例を出そう。かつてフランス人たちは自動車を町中で乗り回しはしたが，遠出のドライブをすることが今ほど頻繁にはなかった。自動車の走行距離が伸びなければ自動車タイヤはすり減らない。タイヤがすり減らなければタイヤ・メーカーは売上げを伸ばせない。そのためミシュラン社は一計(いっけい)を案じ，フランス全土のレストランを紹介するガイドブックを作った。レストランは星の数でランクづけされた。1つ星よりは2つ星の方が高級で，3つ星が最も高級，といったようにである。ガイドブックには，人口の多いパリからは距離のある南仏の3つ星レストランも多数紹介されていた。このガイドブックが普及したおかげでパリっ子たちは週末に南仏にクルマで美味しい料理を食べに行き，タイヤがすり減る（ドライブ1回あたりのタイヤの使用量が増える）ようになり，タイヤ市場が大きくなったという。

2. シェア防衛

現在のシェアを維持・防衛するのにもさまざまな方法がある。

まず第1に直接対決する方法である。プロモーション戦争や価格戦争をすれば力に勝るリーダーはおそらく勝てるであろう。近年の例では，マクドナルドの39（さんきゅう）セットとロッテリ

アの38（さんぱち）セットの戦いが記憶に新しい。その後マクドナルドはハンバーガーを130円に，さらに一時的に65円にまで値下げするキャンペーンまで行なった。しかし，価格を下げるにせよ，プロモーションに巨額の資金を使うにせよ，それによってよほど市場が広がらない限りは，リーダーにとっても業界の他の企業にとっても，利益体質を悪化させてしまうことは間違いない。これは「戦わずして勝つ」を最高の戦略と考えた孫子の兵法からしても，いい手とはいえない。

次に，リーダー企業が他の企業に対して嫌がらせ（harassment）をするというのもありうる。たとえば，部品納入業者に対して，「もしもあの会社に部品を納入するのでしたら，おたくの会社からはもう部品を買えませんな」と言ってプレッシャーをかけたりするのが嫌がらせである。しかし，セクシャル・ハラスメントが社会的に許容されないのと同じように，この企業間の嫌がらせも許容されないだろう。

3番めの方法は，スキを作らないということである。他企業が思い切った価格差を付けられない程度に低く価格を抑えておく。また，あらゆる市場セグメントのニーズが満たされているように目くばりをしておくことである。あらゆる市場セグメントのニーズを満たすことを，フル・カバレッジという。あらゆる部分をカバーしているという意味である。常にこのような状態にしておくためには，他社が新たな製品を出せば，それにすぐに追随して類似の製品の改良版を出し，他社が新たな流通経路を創造したらそれと同じ流通経路を作るといった行動をとる必要がある。こういった他社の行動への追随を同質化という。このような行動をとれば，顧客が他社の製品を選択する可能性が大幅に低下することは

明らかである。他社が高級車を作れば自社も高級車を作る。他社が自動パン焼器を発売すれば自社も発売する。「スーパードライ」が発売されればドライビールを出して追撃する。これが同質化である。それによって相手の出してきた製品が新しい市場を作れないままにつぶれていくのもよし。市場が伸びて自社もいっしょに伸びるのもよし。リーダー企業は消費者に最も知られている企業であり、流通チャネルの支配力でも最強なのだから、同じ製品を売れば他社よりも有利である。ライバルの製品をスピーディに追いかけて同質化することができれば、結局リーダー企業が有利になる。

しかし常に他社に対する同質化行動をとっていると、徐々に市場から不満が出てくる。イノベーション（革新）を起こした企業は顧客から賞賛されるが、モノマネばかりしている企業は威信(いしん)を失ってしまう。モノマネ企業の製品に対してどの程度の不快感を顧客が感じるかは、その地域・時代の人々の感性による。「モノマネであろうと、品質の高い製品が安く手に入れば良いではないか」と考えるようなコスト・パフォーマンスを重視する感性が一般的であれば同質化に問題は起こらないだろうが、知的所有権とかユニークさ、個性などを重視する感性が一般化すると、同質化ばかりしている企業のイメージ・ダウンは大きくなるであろう。

近年の日本市場では、ユニークであること、業界初であること、オリジナルであることを評価する消費者の価値観が高度成長期よりは随分強くなってきているように思われる。だから、リーダー企業が市場シェアを防衛する4番めの方法として、**イノベーション**をあげておくべきだろう。常に業界のトップを切って新製品を導入し、新しい流通チャネルを開拓し、ユニークなプロモーショ

ンを行なっていけるのであれば、いろいろお金はかかるかもしれないが、長期的には最も報われるナンバーワンの維持方法になるはずである。

たとえば一眼レフ・カメラの業界では、キヤノンが近年はずっとリーダー企業の地位を維持している。同社は1980年代半ばのオートフォーカス化ではミノルタの後塵を拝したが、その後は常にイノベーションを行なって首位を走り続けている。次々と画質をあげていくズームレンズの開発、音もなくスーッとピントを合わせる超音波モーターによるレンズ駆動、見つめた所にピントが合う視線入力、手ブレによる画像の乱れを抑えるイメージ・スタビライザーなどなど、他社に先駆けてイノベーションを起こして独走しているのである。

3. リーダーの戦略定石

市場全体の拡大とシェアの維持・防衛は互いに両立しない戦略ではないことには注意すべきである。リーダー企業が常に求めているのは、市場が拡大しようと拡大するまいと、トップ・シェアと最大利潤を確保することである。もちろん市場が拡大し、しかもトップを維持することができればそれが一番望ましいに決まっている。だが、市場が拡大した時にも、その拡大した部分でトップ・シェアを維持する必要があるのだから、シェアの維持・防衛は常に目指すべき方向だと言えるだろう。だから、自ら市場の拡大を率先して行ない、その上でイノベーションや同質化を行なってスキを作らないことがリーダー企業の目指すべき基本方針である。このような基本方針に基づいてリーダー企業のマーケティング戦略の定石を考えていこう。個々の項目については**表4-2**にまとめられている

表 4-2 リーダー企業の戦略定石

戦略の項目	市場地位：リーダー
目　標	・業界最大の利潤 ・プレステージの維持
戦略の基本方針	市場全体の拡大＆スキを作らない
ターゲット市場の選択	フル・カバレッジ
4P's 構築の基本方針	イノベーション，同質化

4P's の定石		
①プロダクト	製品ライン	フルライン
	本質サービス	業界平均よりも高品位
②プライス		若干高め
③プロモーション		積極的
④プレイス		より広いチャネル（開放型）

（出所）嶋口・石井［1995］，214頁を参考に著者が作成。

ので，それを参考にしながら読み進めて欲しい。

　リーダー企業のマーケティング戦略の基本方針はスキを作らないようにすることだから，ターゲットとするべき市場セグメントはすべてのセグメントである（フル・カバレッジ）。このすべてのセグメントに対して通常は複数ターゲット・アプローチを使って製品を提供する。したがって製品ラインは，フルラインになる。提供するべき製品の品質は業界全体の水準とくらべて見劣りのするものであってはならない。そのようなスキを作ればいつでもチャレンジャーが「ウチの製品の方が高品質ですよ」と言って攻撃を仕掛けてくるであろう。最大利潤を獲得したいのだから高めの価格設定をしたいところだが，あまり高い価格を設定するとチャレンジャーが思い切った低価格路線をとってきた時に，目だった

差ができてしまう。だから目だった差が出ない程度に，つまり業界平均よりもやや高め程度に設定するのが定石である。希望小売価格が同じだとしても，リーダー企業は通常ブランド・イメージも高いので店頭での値引き率を低くしていても消費者は買ってくれる。

　リーダー企業は最大シェアを保有するが故に生じるさまざまなコスト優位のおかげで十分に他社よりも多い利潤を獲得できる。また，最大のシェアを維持するには大量の製品を売り続ける必要がある。そのためには他社よりも積極的なプロモーションの展開と，広めのチャネル政策（開放型チャネル政策寄り）が必要だろう。他社よりも広告などのプロモーション費用を多く使ったとしても，売れている数量が多いのだから，1個あたりのプロモーション費用を見ると他社よりも低く抑えることができる。だから安心してプロモーションにもお金をかけることができるのである。

4　チャレンジャーの戦略

1. 差別化によってリーダーを攻撃

　チャレンジャーの目指す目標はシェアを拡大し，トップの座を手に入れることである。トップ・シェアを取るためには，リーダーからシェアを奪うか，他の下位企業からシェアを奪うかのいずれかしかない。

　自社よりも経営資源の少ない下位企業からシェアを奪うのもチャレンジャーにとっては魅力的な方向のように一見思われるかもしれない。たしかに，資本や人材の厚み，知名度，流通チャネル

の支配力などなど，経営資源の豊富なリーダー企業を相手にするよりも，自分より弱そうな下位企業を狙った方がたやすくシェアを奪えそうな気がする。しかし，現実には，下位企業のシェアは少ないが故に，下位企業の顧客も少ない。彼らは判官びいきで小さな会社が好きな人々なのかもしれないし，安い製品しか買わない割には文句ばっかり言うような，顧客として「旨味」のない人々（あるいは企業）かもしれない。だから，ここではリーダー企業からシェアを奪うための方法のみに議論を絞ることにしよう。

　リーダーに較べればチャレンジャーは経営資源が豊富ではないので，リーダー企業相手に直接的な攻撃をしかけるのは得策ではない。リーダーからシェアを奪うには，リーダーの提供しているマーケティング・ミックスとは何らかの点で違い（差）のあるマーケティング・ミックスを創造し，顧客に提供することが基本である。このような差を創り出し，提供することを差別化という。

　たとえば，カシオが1970年代にウォッチ事業へ参入した時には，4つのPのすべてにわたる差別化を行なっている。リーダー企業のセイコーよりも価格を大幅に低く設定し，製品には自動カレンダーなどの機能を付加するなどの製品差別化を行なった。プレイスについても，既存の時計屋さんルートではなく，ヨドバシ・カメラなどのカメラ量販店やディスカウント・ストアなどを主たる小売店として選ぶなど流通チャネルの差別化も行なっている。さらに山口百恵をつかった「デジタルはカシオ」という印象的なテレビ・コマーシャルによって，高級品ではなく，親しみやすい大衆品のイメージを作り出していったのである。近年では大衆品というよりも，Gショックとかデータ・バンクなど，製品自体に独特の魅力をもたせた差別化商品を世に送りだしている。

チャレンジャーの差別化行動に対してリーダーは同質化行動をとってくる。デジタル・ウォッチの競争でも，セイコーは最終的に「アルバ」という新しいブランドを作り出して対抗してきた。だからチャレンジャーの行なう差別化はできるだけ同質化されにくいものでなければならない。リーダーから模倣されない差別化を行なうには，①リーダーのもっていない経営資源を利用するか，②リーダーが同質化を行なえない内部事情を利用するしかない。

　リーダーのもっていない経営資源とは，たとえば新たに開発された独自技術を使うことなどをイメージすればよい。花王はソフィーナを導入して化粧品業界のリーダーである資生堂に挑戦する際に，自社独自の皮膚科学研究の蓄積を生かしたと言われている。リーダーが同質化を行なえないような内部事情の例としてはジョンソン＆ジョンソン社の歯ブラシ「リーチ」が有名である。「リーチ」は通常の歯ブラシよりもブラシの部分が小さい。リーダー企業のライオンは歯磨粉でもトップ・メーカーであったため，歯ブラシの主流がブラシ部分の小さなものになってしまうと，歯磨粉の売上げが下がってしまう。だから同質化できなかったのである。同様に，ラガービールの売上減少を恐れたキリンビールは，アサヒビールが「スーパードライ」を発売しても，なかなかドライビールの販売に本腰を入れることができなかったと言われている。

2. チャレンジャーの戦略定石

　表4-3にはチャレンジャーの戦略定石がまとめられている。チャレンジャーが目指しているのは，当面の間若干利益を犠牲にしても市場シェアをリーダーから奪ってシェア・ナンバーワンの地位に就くことである。この市場シェア向上のための基本

表 4-3 チャレンジャーの戦略定石

戦略の項目	市場地位：チャレンジャー
目 標	トップ・シェアの奪取
戦略の基本方針	差別化　先手必勝
ターゲット市場の選択	①セミ・フルカバレッジ＆決定的セグメントに焦点 ②セミ・フルカバレッジ＆集中＆機動的展開
4P's 構築の基本方針	模倣されにくい差別化

4P's の定石	
①プロダクト　製品ライン 　　　　　　　本質サービス	セミ・フルライン （主戦場で深いライン）
②プライス ③プロモーション ④プレイス	4つのPのいずれか、あるいはすべてで差別化

指針は、リーダーと差別化を行なって、リーダーからシェアを奪うということである。

　しかしチャレンジャーはリーダーほど知名度が高いわけではないし、人材の厚みや流通チャネルへの影響力も強いわけではない。経営資源が豊富ではないチャレンジャーが、市場セグメントのすべてをカバーしてリーダーと競争していたら、消耗戦になっていつかは敗れてしまう。すべてのセグメントに力を入れてしまえば、焦点が定まらなくなり、経営資源の豊富なリーダーに勝てないのである。だが同時に市場の大部分を相手にしない限り、リーダーのシェアと同程度もしくはそれ以上のシェアを獲得することは出来ない。したがって、フル・カバレッジは出来ないが、同時に少数のセグメントだけを相手にしているというわけにもいかない。それゆえ、チャレンジャーはフル・カバレッジよりも若干狭めの

市場をカバーするというのが適切であろう。これをセミ・フルカバレッジ政策と呼んでおこう。チャレンジャーは，市場セグメントのすべてではなく，かなりの部分をターゲットとして視野に収めた戦略を考えなくてはならない。また，それぞれのセグメントに個別にマーケティング・ミックスを提供するなら，フルラインよりも若干狭い製品ラインを持たなければならない。これをセミ・フルラインとここでは呼んでおこう。

　市場セグメントの広さを抑えてセミ・フルカバレッジにし，それに対応してセミ・フルラインで対応したとしても，簡単にリーダーに勝てるというわけではない。なぜなら，経営資源の量だけに注目するなら，リーダーの方が豊富なはずだから，チャレンジャーの経営資源で出来ることは，リーダーでも出来るはずだからだ。だから，セミ・フルカバレッジだけではチャレンジャーがトップに立つには足りない。

　ではどうすれば良いか。ひとつの答えは，セミ・フルカバレッジの中でも，さらに主戦場（＝セグメント）をどこにするかをチャレンジャーがイニシアティブをとって決める，ということである。独自の経営資源に裏打ちされた差別化や相手の事情を利用した差別化など，リーダーが同質化できないような差別化がうまく行きそうなセグメントを主戦場としてチャレンジャーが先手を取って選択すればよい。先手必勝だから，主戦場を選ぶ主導権をチャレンジャーが握っていなければならない。その意味でも，リーダーがイノベーションによって常に自ら主戦場を決めているような場合にはチャレンジャーは苦しい。むしろ長年の首位に安住して，受動的に同質化を繰り返すだけのトップ企業の方が攻撃しやすい。逆にリーダーにとっては単なる受動的な同質化よりもイノ

ベーションの方が市場シェア・トップの座を維持する上で有効な手になるはずである。

主戦場をチャレンジャーが主導権を取って決め，そこにチャレンジャーが自らの持つ資源を集中投入すれば，そのセグメントではチャレンジャーが優位に立つことができるであろう。それゆえチャレンジャーの基本方針の第1番目は，主戦場を決めて資源の集中投入をする，ということである。その際，チャレンジャーが気をつけるべきポイントは，あるセグメントで優位を確立したら，他のセグメントが次々と自然に将棋倒しのように自分の領地になっていってしまうような決定的なセグメントを選ぶということである。そのセグメントの支配権を獲得すると，その他のセグメントでの戦いが有利になるような，プラスの波及効果をもつセグメントである。イメージをつかんでもらうために，図4-4が描かれている。図の左側（a）が決定的セグメントに資源を集中して攻撃していることを示している。

たとえばビールのようなアルコール類は，若者が20歳くらいから本格的に飲み始める。若者たちがビールの味を覚える時期に自社ビールの味を刷り込んでおけば，後々その若者たちが社会人となってから自社ビールの大量消費者となる可能性が高い。だから，この20歳から30歳くらいまでの市場セグメントは後々の市場全体を支配していく上で重要である。このセグメントを支配するということは，それ以後の市場全体の支配権を確立していく上でプラスの効果をもっているのである。この種の重要なセグメントをリーダーよりも先手を取って支配できればチャレンジャーが時と共に優位に立っていくことが可能になるであろう。

しかし，よほど重要なセグメントを選ばないかぎり，1個のセ

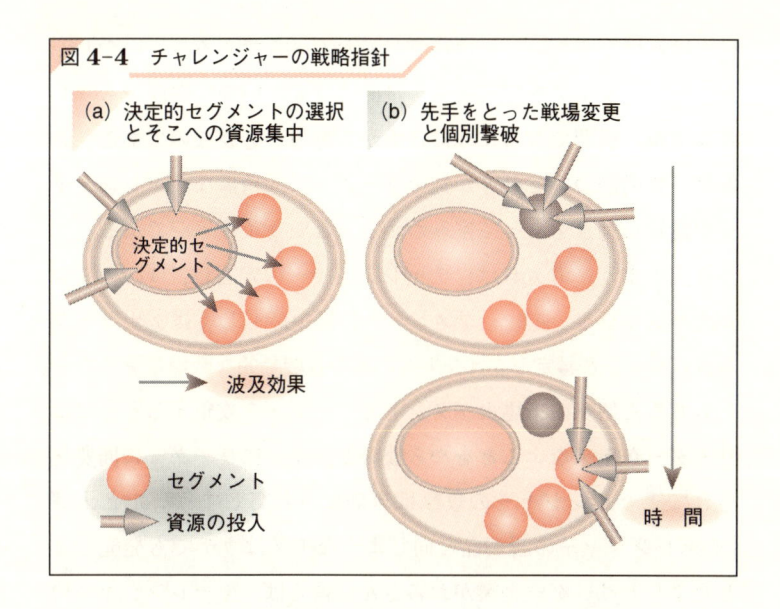

図 4-4　チャレンジャーの戦略指針

(a) 決定的セグメントの選択とそこへの資源集中

(b) 先手をとった戦場変更と個別撃破

決定的セグメント

波及効果

セグメント

資源の投入

時　間

グメントでの戦いだけでは市場シェア全体の逆転は難しい。しかもその重要な波及効果をもつセグメントをリーダーも十分承知で死守しているかもしれない。だから決定的なセグメントを攻撃することが不可能であったり，攻撃してもなかなか逆転できないかもしれない。そうだとすれば，基本方針の第2番目として，1つのセグメントでリーダーをうち破ったら，また先手を取って次のセグメントへと主戦場を移し，一つひとつのセグメントを次々と個別撃破しながら多数のセグメントで順次支配権を奪っていく，ということを考えなければならない。このイメージは図4-4の右側（b）に示されている。個々のセグメントに資源集中して，各個撃破しながら，徐々に市場シェアを高めていくのである。もちろんこの場合，チャレンジャーは経営資源の機動的な展開に関してリーダーと同等以上の力をもっていて，しかも先手をとり続

けなければならないことは注意しておくべきであろう。いやしくもトップ・シェアを狙うなら，量的には少ない経営資源でもフレキシブルに展開できるように日頃から努力が必要なのである。いわば，贅肉がついて動きが鈍いリーダーに，精悍なチャレンジャーが俊敏な動きをもって挑みかかる，というイメージである。

　以上のように考えれば，チャレンジャーの定石は，①セミ・フルカバレッジ＆決定的セグメントへの集中，もしくは②セミ・フルカバレッジ＆特定セグメントへの集中＆機動的な戦場変更である。

　もちろん個々の市場セグメントでリーダーを攻撃するときには，リーダーが出来ないことをやらないと，すぐにリーダーに同質化されてチャレンジャーの攻撃は無効にされてしまう。たとえば「チャレンジャーの新製品と同じようなモノはウチでも発売しましたよ」とリーダー企業がお客さんに言えば，チャレンジャーの勝てる見込みは相当低くなってしまう。それ故，独自の経営資源に裏打ちされた差別化や相手の事情を利用した差別化など，リーダーが同質化できないような差別化を心がけなければならない。この差別化は，製品品質の違いや流通チャネルの違い，顧客に伝える情報の違いなどなど，プロダクトやプレイス，プロモーションのいずれで行なっても良い。また価格についてはリーダー企業よりは低めに設定するのが定石ではあるが，高品質を強調した差別化を行なう場合などではリーダーよりも高めに設定する可能性もある。それ故，4つのPで差別化することが定石だと覚えておいた方が簡単だ。プロダクト，プレイス，プライス，プロモーションの4P'sのいずれか，あるいはその組み合わせによって，リーダーが同質化しにくい差を創り出すのがチャレンジャーの定石である。

そして、模倣しにくい差別化への対応にリーダー企業が手間取っている間に、チャレンジャーはひとつひとつの市場セグメントで優位を確立し、次のターゲット・セグメントへと主戦場を変更していくことができ、トップ・シェアへ登っていくことが可能になるのである。

5 ニッチャーの戦略

1. 隙間市場へ集中

小さいセグメントではあるが、他の企業が参入してこられないようなニッチ（隙間（すきま）市場）に集中し、そこで圧倒的なシェアを握っている企業がニッチャーである。このニッチャーの戦略定石が**表4-4**に示されている。

ニッチャーは利潤の総額ではリーダーやチャレンジャーにかなわないものの、比較的高い利益率を達成している場合が多い。なぜなら、ニッチャーの製品を購入する人々は、かなりその製品にこだわりを持っていて、価格が多少高くても買ってしまうというほど、その製品に魅力を感じているからである。あるいは業界全体が価格競争に巻き込まれてしまっているときに、ニッチャーは価格競争に巻き込まれずに一人悠然（ゆうぜん）としていて、安定した売上げを上げたり、マイペースの成長路線を歩んでいたりすることが多い。

たとえば今ではずいぶん大規模になってしまったのでニッチャーとは呼びにくいが、モスフードサービス（モスバーガー・チェーンの本体）はニッチャーのイメージに近い。リーダーのマクド

表4-4 ニッチャーの戦略定石

戦略の項目	市場地位：ニッチャー
目　標	・高利益率 ・マイペースの成長 ・安定した売上げ
戦略の基本方針	生存空間全体の差別化
ターゲット市場の選択	①速すぎない成長セグメントの選択 ②狭いセグメントへの集中
4P's 構築の基本方針	狭いターゲットへの ファイン・チューニング

4P's の定石

①プロダクト	製品ライン	狭く深いライン
	本質サービス	独自性
②プライス		高め
③プロモーション		ターゲット・媒体を絞り込む
④プレイス		より狭いチャネル

ナルドとチャレンジャーのロッテリアが出店競争を繰り広げ，後には価格競争を展開していても，モスは比較的平穏に成長を続けていった。駅前ではない二等立地に出店し，高校生や大学生，若い社会人をターゲットとして，みそ・しょうゆをベースとした日本的な味付けの製品を提供してきたモス・フードは，業界全体が低価格競争を行なっていても，セット・メニューや半額セールなど行なわずに，利益と成長を確保できたのである。

高い利益率やマイペースの成長，安定した売上確保などなど，ニッチャーが手に入れられるメリットはいろいろあり得る。こういったメリットを目指して，ニッチャーはまず狭いセグメントを対象とするのが基本である。通常は単一ターゲット・アプローチ

をとっているのである。この狭いセグメントに対して提供される製品ラインは、やはり同様に狭い。ただし、そのセグメント内では強力な地位を確保するために、狭いけれども深い製品ラインをそろえるというのが定石であろう。深いというのは、同種の製品のアイテム数が多い、ということである。

　この狭くて深い独自の製品ラインに合わせて、プロモーションやプレイスも独自路線を採用するというのが定石であろう。市場セグメント自体が限られているので、あまりハデで大規模なプロモーションを行なう必要はない。特定の市場セグメントにのみ情報を伝えるようなプロモーションを心掛けるべきであろう。流通チャネルも広げる必要はないのが普通だから、閉鎖型チャネル政策が定石である。価格は業界平均よりは高めであろう。ニッチャーは低価格のみを訴求して顧客を獲得し、つなぎとめておくというような必要がないのである。4つのPのすべてにわたって、ターゲット・セグメントに対して精密にフィットすること、つまりファイン・チューニングをすることがニッチャーの基本である。

　ニッチャーにとって気を付けなければならないことは、そのニッチが業界の他の部分から切り離された、一種の別空間になるように維持することである。4つのPに関する差別化というよりも、生存空間の差別化がニッチャーの基本である。しかも、できることなら、そのニッチが徐々に、しかし確実に成長していくようなものであるのが望ましい。成長が速すぎるとリーダー企業が血眼になって参入してこようとするからである。そのためには、他企業の思いつかないようなセグメンテーションを行なって、彼らが保有しないような独自の経営資源を生かせるような工夫が必要である。またニッチが他のセグメントと比較して、どのような位置

づけを顧客から与えられているのかといった業界全体への目配りを怠ってはならないであろう。いままで自社は高級品セグメントを相手にしていると思っていたら，他社がより高級なセグメントを創造したために，顧客の目からは中級品に格下げされていた，というようなことが無いように，という意味である。生存空間を差別化するというのは，視野を狭くすることではなく，広い視野をもちながらも，単一のセグメントに経営資源のすべてを集中投入する，という意味なのである。

2. 日本ルナのケース

ニッチャーの具体例として，ここでは日本ルナというヨーグルト・メーカーを紹介しておこう。京都に本社をもち年間数十億円の売上げをあげる日本ルナは日本ハム・グループに属しているが，もともとは独立系の企業であり，乳製品業界では比較的小規模なニッチャーである。日本ルナの製品のほとんどはヨーグルトである。しかも，フランスの料理学校と提携して開発した「ル・コルドン・ブルーデザートヨーグルト」や抹茶のヨーグルトなど，かなり個性的なものが多い。

ヨーグルトは一般にスーパーの特売などで安売りの対象になりやすい。とりわけ日本ルナの主力であるカップ入りのハードタイプ・ヨーグルトは価格競争が激しい商品分野である。しかし，日本ルナの製品はこの種の価格競争から比較的切り離されている。それは，同社が独自の製法を使って品質面で独自の世界を作っているからであるという。ヨーグルトを味で差別化し続けることは比較的難しい。ヨーグルトの味は，乳酸菌と隠し味と製法の3つで決まるが，どのような新製品を出しても，乳酸菌は2カ月程度

日本ルナのヨーグルト商品

ル・コルドン・ブルー
デザートヨーグルト

抹茶ヨーグルト

で他社に分析されてしまうからである。日本ルナでは抹茶やバニラなどを加えた製品差別化も行なっているが、同社の本当の差別化は製法にある。通常のハードタイプのヨーグルトを大手メーカーが4〜5時間程度で発酵させるのに対し、日本ルナは16時間もかけているのである。この16時間の発酵プロセスは、ヨーグルトのうまみを増し、きめ細かい食感を創り出してくれる。

　発酵時間を長くするくらいなら、大手でも真似できるではないか、と思われるかもしれない。しかし、大手の生産設備では発酵プロセスに16時間もかけていたら元が取れない。他の設備は全部4〜5時間のサイクルで回るようにできているからである。しかも発酵に3〜4倍も時間をかけていては、大量生産できないので、本来大手メーカーが得ていた規模の経済性が発揮できなくなる。だから、大手メーカーは真似できないのである。味を楽しむこだわり派の人々を自分たちのニッチとして確保しているので、日本ルナは大手の価格競争に巻き込まれないでいるのである。

表 4-5 フォロワーの戦略定石

戦略の項目	市場地位：フォロワー
目　標	存続 したたかな成長
戦略の基本方針	リーダー製品の安価な代替品を供給する
ターゲット市場の選択	経済性セグメント
4P's 構築の基本方針	徹底的なコスト・ダウン

4P's の定石		
①プロダクト	製品ライン	浅いライン
	本質サービス	トップ・ブランドの1ランク落ち
②プライス		低め
③プロモーション		抑える
④プレイス		低価格志向の流通チャネルに集中

6　フォロワーの戦略

1. 経済性セグメント

表 4-5 にフォロワーの戦略定石がまとめられている。フォロワーが目指している目標は，生存し続けることである。業界が平穏無事であれば，ある程度の利潤を獲得できる。現在は少なくとも競争を回避し，ある程度の利潤をあげながら経営資源を蓄積していく，という目標である。言い換えれば，企業の存続を確実なものとしながら，したたかに成長する機会をうかがうのがフォロワーである。

このような目標を達成するためには，まずリーダーやチャレンジャーにとってあまり魅力的ではない市場セグメントをターゲッ

トにするべきであろう。ニッチャーのように独自の能力をもっているわけではないので，他社からの攻撃を回避するには他社が魅力を感じない市場セグメントを選択するしかない。これは通常，価格に対して敏感に反応するセグメントである。つまり，値段が安ければブランドも製品機能もあまり気にしないというセグメントである。高い価格の製品を購入しないので，大きなマージンをこの顧客たちから獲得することは出来ない。だから，このセグメントは「美味しい市場」とは言えない。これをここでは経済性セグメントと呼んでおこう。

たとえば「ソニーのMD（ミニ・ディスク）」のテレビ・コマーシャルを見て，「MDプレーヤーが欲しい」と思ったとしよう。「ちょっと高くてもソニーじゃなきゃ絶対イヤだ」という人はソニーのお客さんになる。しかし，「ソニーのMDプレーヤーが欲しい」と思っていても，いざ量販店の店頭まで行くとほぼ同じ性能のものが8000円も安いとしよう。「こんなに値段が違うなら，こっちにしよう」と思って安い方を選ぶ人。あるいはそもそも「何でも良いから安いMDプレーヤーが欲しい」と考えるような人。これらの人々が経済性セグメントである。

経済性セグメントをターゲットにした上で，フォロワーはリーダーの構築したマーケティング・ミックスを1ランク落として模倣するという戦略をとるのが定石である。1ランク落とすというのは，プロダクトに関して言えば，デザインにカネを使わないとか，カラー・バリエーションは増やさない，といったことである。基本的な方向はリーダーの定めた通りに従って，似たようなプロダクトを低価格で販売するのである。製品ラインはフルラインやセミ・フルラインである必要はない。たとえフルラインに近い製

品ラインを作ったとしても，アイテム数の限られた浅いラインを作るのが定石であろう。アイテム数を少なめにしてコストを下げる方が重要なのである。

　低価格の製品を販売するのだから，品質をあまり高くしたり，アイテム数を増やしたりすることはできないし，プロモーションにもそれほど資金を投入できないだろう。それでもその製品の種類自体はリーダー企業が大々的にプロモーションしてくれているので，その恩恵にあずかることが出来る。ソニーが MD プレーヤーの宣伝をして量販店の店頭までお客さんを連れてきてくれるのだから，自分が独力でお客さんを呼んでくる必要はないのである。流通チャネルは低価格品を志向する人々が利用するようなもの，たとえばディスカウント・ストアなどに集中し，あまり広げる必要はないであろう。

　かつて，三洋電機が典型的なフォロワーの戦略をとって成功していたと言われている。電器店の店頭では，ブランドの力が弱いために買い叩かれる。それを承知で，生産現場での徹底的なコスト・コントロールを行なっていたという。フォロワーの戦略定石が成功するか否かを分かつ重要な要因のひとつは，おそらく三洋電機に見られるような生産現場でのコスト・コントロールであろう。徹底的に無駄な機能を省き，低コストで生産しなければ生き残れないのである。ただし，最近では三洋電機がフォロワーだとは言いにくくなっている。むしろ船井電機などがフォロワーだと考えるべきだろうか。また，エアコン分野を見ると，富士通がフォロワーとして位置づけられるであろう。パソコンや大型コンピュータではチャレンジャーかリーダーに位置づけられる同社も，旧ゼネラルの買収によって手に入れたエアコン事業ではフォロワ

ーを演じている。ほぼ同程度の機能をもったエアコンが松下や日立よりもかなり低めの価格で売られているのである。

2. 市場地位別戦略定石

表 **4-6** には，リーダー，チャレンジャー，ニッチャー，フォロワーの4つの市場地位別にマーケティング戦略の定石がまとめられている。既に個別に説明を加えてあるので，ここでは追加の説明をする必要はないだろう。4つの市場地位別にどのように定石が異なってくるのか，表を見ながら考えてみて欲しい。なお，ここで言う定石というのは，「こうすればうまくいく」という解答を与えるものではない，という点には注意が必要であろう。そもそも完全にチャレンジャーにピッタリ当てはまる企業とか，フォロワーにピッタリ当てはまる企業というのは現実には存在しない。企業というのは，皆個性あふれた存在なのである。そう簡単に公式に当てはめて問題が解決するわけではない。ここでわざわざ定石を示したのは，「フィット」という言葉の意味を実体験してもらうためである。経営資源に乏しい業界第3位メーカーがフル・カバレッジを採用してリーダー企業と正面から戦うのは，どう見ても勝ち目がないとか，リーダーがプロモーションしてくれているからフォロワーは大量に広告費を出す必要がない場合がある，といったことは，何かと何かがフィットしているかどうかを考えた結果として論理的に出てくる結論なのである。頭できちんと考えてつじつまのあった戦略を構築するための，ひとつの練習台がこの定石なのである。読者も，是非，どことどこが論理的にフィットしているのかという議論の道筋をきちんと追いかけることにエネルギーを使っていただきたい。まちがっても，これが公式だと思って簡単

表 4-6 市場地位別マーケティング戦略の定石のまとめ

戦略の項目／市場地位	リーダー	チャレンジャー	ニッチャー	フォロワー
目 標	・業界最大の利潤 ・プレステージの維持	・トップ・シェアの奪取	・高利益率 ・マイペースの成長 ・安定した売上げ	・存続 ・したたかな成長
戦略の基本方針	市場全体の拡大＆スキを作らない	差別化 先手必勝	生存空間全体の差別化	リーダー製品の安価な代替品を供給する
ターゲット市場の選択	フル・カバレッジ	①セミ・フルカバレッジ＆決定的なセグメントに焦点 ②セミ・フルカバレッジ＆集中＆機動的展開	①速すぎない成長セグメントの選択 ②狭いセグメントへの集中	経済性セグメント
4P's 構築の基本方針	イノベーション 同質化	模倣されにくい差別化	狭いターゲットへのファイン・チューニング	徹底的なコスト・ダウン

4P's の定石

	リーダー	チャレンジャー	ニッチャー	フォロワー
①プロダクト／本質サービス	・フルライン ・業界平均よりも高品位	・セミ・フルライン （主戦場で深いライン）	・狭く深いライン ・独自性	・浅いライン ・トップ・ブランドのランク落ち
②プライス	若干高め	4つのPのいずれか、あるいはすべてで差別化	高め	低め
③プロモーション	積極的		ターゲット・媒体を絞り込む	抑える
④プレイス	より広いチャネル（開放型）		より狭いチャネル	低価格志向の流通チャネルに集中

(出所) 嶋口・石井 [1995], 214頁を参考にして著者が作成。

にそのまま当てはめるというようなことは避けてほしい。

7　ドライ戦争

1. アサヒビールの苦闘

1980年代半ばのビール業界におけるアサヒビールは業界3位の市場地位すら維持することを危ぶまれるものであった。それまで常に維持していた市場シェア10パーセントを1985年にはわずかに割り込み，9.9パーセントのシェアしか獲得できなかったのである。同じ年にキリンビールは61.3パーセントのシェアを握ってトップを独走しており，圧倒的な強みをもつリーダー企業であった。キリンビールに対して唯一チャレンジを挑めそうなサッポロビールですら19.6パーセントのシェアしか保有していなかった。最後発のサントリービールは徐々に市場シェアを高めて9.2パーセントを獲得するようになり，アサヒビールにあと0.7ポイントと迫っていた。

このような危機的な状況の下で，アサヒビールは全社的な体質改善運動と新製品の開発に動き出した。

まず1986年にはラベルを一新した「コクキレ」ビールを発売し，市場シェアを12.9パーセントにまで戻している。その翌年の1987年の春，いよいよ歴史的な転換点を画する「スーパードライ」が発売された。

「スーパードライ」が発売されるまでのビール業界は，業界1位のキリンがラガービールによって市場の大半を支配し，それに対してサッポロ以下の企業が生ビールで対抗するという構図が出

来上がっていた。キリン対その他企業の戦いは「ラガー」対「生」という本質サービス面での戦いだけではなかった。パッケージ（容器）に関しても，キリンがラガー＝ビンを強調していたのに対し，他の企業は生＝カン，あるいは樽などの新しいパッケージを市場に対して提案してキリンとの差別化をはかっていた。アサヒは特に，「グイ生」などのいわゆる「容器戦争」では先導役を果たしていた。

　しかしながら，容器による差別化は簡単に模倣・同質化されてしまうか，もしくは消費者に受け容れられなかった。アサヒがいかに新たな容器を導入しても，他社もまた即座に類似の容器を導入し，アサヒの差別化は長続きしなかったのである。また，1985年までに業界全体で41パーセントまで生ビールの比率が高まったが，同年キリンも生ビールを本格的に導入するという同質化を行ない，市場ニーズのすべてに応えるフル・カバレッジへと変わっていった。こうして「ラガー」のキリン対「生」のその他企業という，キリンとその他企業との差別化ポイントは消費者を奪い取るための決定力を弱めてしまったのであった。

　もともと巨大なキリンは他企業に対して圧倒的に優位な地位にあった。たとえば1985年の時点で，アサヒはキリンの62パーセントに相当する宣伝広告費を投入していたが，売上高はキリンの5分の1に過ぎなかった。また，売れているということ自体がもつメリットもキリンは手に入れていた。売れ行きが良いからキリンのビールは在庫の回転率が高く，在庫の回転率が高いから消費者に渡る製品の鮮度が常に良好であり，鮮度の高さ故に消費者が「おいしい」と思って買っていく，という好循環を起こしていたのである。アサヒはこの逆の悪循環に悩んでいたのであった。

2. スーパードライの衝撃

しかし，1987年の春にアサヒが既存のビールよりもアルコール度数の高い「スーパードライ」を発売した時から，状況が変わっていく。

当初，キリンを初めとする他のビール会社はドライビールが一過性のものだと判断したようだ。ところがその夏の商戦で「スーパードライ」が急速に売上げを伸ばすのを見て，各社とも翌年の初めにはドライビールの発売に踏み切ることになる。このとき，他社が発売したドライビールは，アサヒの「スーパードライ」の完全な同質化製品であったと言っても過言ではない。アサヒの「スーパードライ」は，「スーパードライ」という新しいブランド名を作って商標として登録していたばかりでなく，ラガーや他の生ビールとは明確な差別化を行なうために，通常のラベルをシルバーにするとともに，ビンの首の部分にも小さなラベルを貼るというパッケージ面での特徴も付けていた。他社は，この首の部分まで同質化しようとしたのである。他社のこの同質化行動は，当時の新聞で「知的所有権」侵害の問題として大々的に取り上げられ，これが大きな効果をもつ広報活動になった。それまで何も知らなかった消費者まで，ドライ戦争に関心を寄せるようになり，一般消費者たちから次はどうなっていくのだろうか，という注目が集まったのである。

3. キリンの戦略の揺れ

その年の夏には，キリンのドライビールも市場で人気を博し，そのまま順調に進めば，新たに創出されたドライビール分野でもキリンは十分なシェアを獲得し，リーダーの地位を維持できそうな様子であった。

しかし、その年の秋頃から、キリンはドライビールではなく、「ビールはやっぱりラガーだ」と主張し始めるようになる。さらに1989年になると、キリンは「ファインピルスナー」とか「ファインドラフト」などの新製品を導入してフルラインにしていくとともに、「ラガーこそビールの本流である」と主張するような広告を積極的に行なっていった。

このような戦略上の揺れが生じたのは、社内での議論の混乱が原因だとも言われている。キリンにとってみれば既存の生産設備をそのまま変更せずにラガービールが売れている方が望ましい。ドライビールを市場に投入して、それが成長したとしても、所詮、ラガービールのシェアを食うことでドライビールが成長しているのだから、キリンにとってみれば生産効率・販売効率が悪くなるのである。自社製品が共食い（カニバリゼーション）を起こすようなら、むしろラガーで押したい。こう考えたとしても不思議はない。しかもかつての「ラガー」対「生」の競争の最中に、「やっぱりビールはラガー」とプロモーションをし続けてきたのだから、いまさら「生」であるドライに力を入れすぎるのは節操なさ過ぎる、という考えも浮かんでくるだろう。このような議論がキリンの社内で出てきたとしても不思議ではない。逆に言えば、アサヒはキリンが確信をもって同質化し続けることが困難な差別化を行なったのである。

キリンの戦略的な揺れは、同社に大きな損失をもたらすことになった。1980年代の半ばまで守り通してきた市場シェア60パーセントの大台は、1988年の時点で50.5パーセントに落ち込み、89年にはついに48.1と50パーセントの大台すら割り込むことになる。これに対してアサヒは見る見るうちに市場シェアを伸ばし

図 4-5 市場シェアの推移

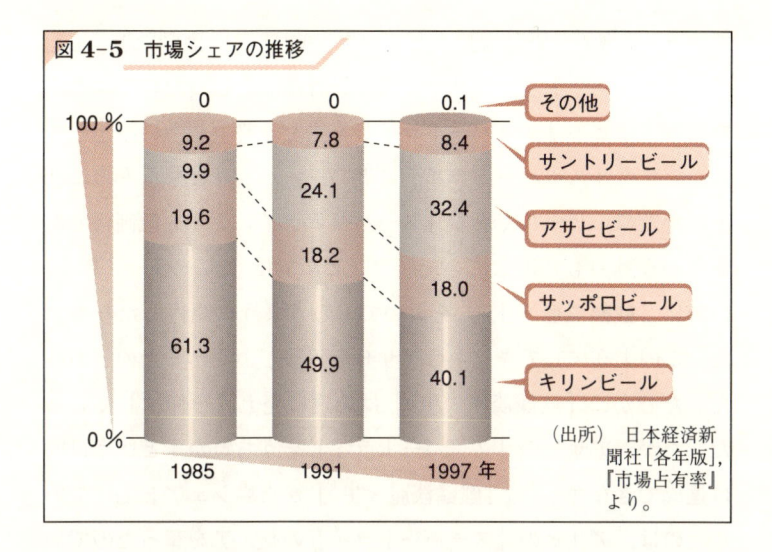

	1985	1991	1997年
その他	0	0	0.1
サントリービール	9.2	7.8	8.4
アサヒビール	9.9	24.1	32.4
サッポロビール	19.6	18.2	18.0
キリンビール	61.3	49.9	40.1

(出所) 日本経済新聞社[各年版],『市場占有率』より。

ていった。1988年には20.6パーセント,89年には24.9パーセントのシェアを確保したのである。

　キリンの戦略的な揺れは,その後も続いた。1990年にキリンは大型新商品の「一番搾り」を発売し,それ以後,フルラインではなくむしろ「ラガー」と「一番搾り」を2本柱とした製品ラインを組んでいった。しかしその後,また「やっぱりラガーだ」と主張したり,「ラガーは『生』だ」と主張したり,消費者から見ていると,主張がいろいろ揺れ続けているという印象が形成されていった。図4-5には1985年と91年,97年の市場シェアの推移が描かれている。この間にキリンのシェア低下とアサヒのシェア上昇は止まらなかったのである。

　1998年には,ビールよりも価格の安い発泡酒の分野でキリンは戦略商品の「麒麟淡麗〈生〉」を発売した。当時既にサントリーは「スーパーホップス」,サッポロは「ドラフティ」を販売し

ており，発泡酒分野は急拡大していた。キリンの「麒麟淡麗〈生〉」は，これらサントリーやサッポロの先行商品を狙ったのではなく，むしろアサヒの「スーパードライ」を主たる競争相手に設定していた。味も「スーパードライ」に近い，すっきりとしたものに仕上げた上で，ビールである「スーパードライ」よりも低価格であるという魅力も利用していた。コンビニでは「スーパードライ」の隣に「麒麟淡麗〈生〉」を置いてもらうように説得したりもした。このようにしてキリンはアサヒを追撃しようとしたのであった。たしかに「麒麟淡麗〈生〉」は急速に売上げを伸ばしていった。だが，アサヒの「スーパードライ」をうち負かすという目的は達成できなかった。「麒麟淡麗〈生〉」が市場シェアを上げていったのは，アサヒの「スーパードライ」のシェアを奪ったのではなく，むしろサントリーやサッポロの発泡酒からシェアを奪ったのであった。

既に1996年時点で単一ブランドとしてはキリンの「ラガー」を抜いてアサヒの「スーパードライ」が売上高第1位になっている。ビールと発泡酒を合わせた合計ではいまだにキリンがトップ・シェアを維持しているが，ビールのみでは1999年時点ではアサヒがリーダー企業になっているのである。ほんの12～13年程度の見事な逆転劇であった。

4. 教　　訓

アサヒとキリンの競争から得られる競争戦略上の教訓は数多い。おそらく今から振り返って後知恵で考えてみれば，キリンは「ラガービール」との共食いを恐れずに1988年に導入したドライビールに注力し続けるという徹底的な同質化戦略をとるべきだったのかもしれない。

ドライビールという商品分野が伸びるにせよ、一過性のものであるにせよ、キリンは徹底した同質化によって安定したリーダー企業の地位を確保できていた可能性は高い。あるいはドライビールによる同質化を行なわないのであれば、「一番搾り」のようなイノベーションをもっと早い時期に、またもっと徹底して推進していくべきだったのかもしれない。

　顧客層やチャネルの変化も、積極的に先手をとって活用していくという主戦場の選び方にも問題があったかもしれない。ちょうど「ラガービール」を大量に飲み続けてきた世代が年をとっていき、酒屋さんルートでビールが売られていく比重は急速に衰えていった。逆に若い世代がコンビニの冷蔵庫を自分で開いてビールを買う時代になってきたのである。若い世代が缶で飲むというビール消費のセグメントが主戦場になることをもっと早くから意識し、それに対応する手を打っておくべきだったのかもしれない。この場合、もっと早いうちから缶比率を高めておくべきだったということも考えられる。1996年の時点でも、「ラガー」の31パーセントがカンであったのに対し、「スーパードライ」は49パーセントがカンであった。逆に「スーパードライ」は、このセグメントを先手をとって主戦場として選び、集中的に資源投入したと考えることもできるであろう。

　もうひとつ、フルライン政策が必ずしもリーダーのとるべき手だとはかぎらないという可能性にも触れておきたい。ビールのような製品に関しては、非常にスタンダードな製品がごく少数だけ存続し、それ以外の製品はマイナーな売上げしか達成できないのかもしれない。人間は味に関しては保守的だと言われている。ひとつの製品の味が気に入り、それを口にするのが習慣になれば、

次の機会にもその製品を購入する確率が高く，他の製品に浮気する確率が低いということになる。毎日毎日違った味のビールを飲むという人はそれほど多くはなく，特定の銘柄を飲み続け，時折，他の銘柄を試してみては，馴染みがないので「あまり美味しくない」と判断する可能性がある。それ故，ビール業界では自然とスタンダードなビールというものが生まれてしまう可能性がある。

また，自動車などの製品分野でフルライン政策に意味があるのは，価格と品質が上から下まで並んでいて，その価格が高いために，そう簡単に手が出せないという理由があるかもしれない。最初は安いクルマに乗るが，だんだん自分の所得が高くなるとそれに合わせてクルマも高級なものへと買い換えていく。昔，手が出なかったからこそ，「いつかはセルシオ」という気持ちもわいてくる。このような上昇移動がクルマなどの場合には考えられる。しかし，通常のビールは最高級のものでも比較的安い。だから誰でも試してみることはできる。それ故に，高いビールに対して，「いつかはセルシオ」というような気持ちがわき起こりにくいのではないだろうか。しかも，セルシオに乗っていれば，「あの人は金持ちだ」と他人にみせびらかすこともできるが，最高級のビールを飲んでいてもそれほど人に見せびらかすことはできないであろう。

こういったことを考えれば，本書の中で「定石」と言ったものが，そのまま当てはめて良いような公式とは違うことが分かるであろう。あくまでも論理を理解するための雛形としての「定石」であって，実際に自分でマーケティング戦略を立てる場合にはこの「定石」を活用するのではなく，それを通じて得られた論理的な思考を活用するのでなければならないのである。

より広い戦略的視点を求めて

第 II 部

第I部で展開されたマーケティング戦略の議論は，ターゲット市場とマーケティング・ミックスの適合関係を中心にして，その上で，両者の適合関係に影響を直接的に及ぼす製品ライフサイクルと業界内の市場地位とを論じた。図IIに示されているように，第II部では，このようなマーケティング戦略の議論よりも，もう少し視野を広げて，広く業界全体の構造を分析したり，会社内の他の事業分野との関係を考察したり，そもそも何を目指してどのようなビジネスをしているのか，といった問題を議論する。

　まず第5章では，第4章で論じられた企業間の競争についてもう少し広く考えることにする。つまり，第4章の「市場地位別のマーケティング戦略」では，競争相手とは同業他社のことであったが，第5章ではもう少しいろいろな敵を視野に入れるのである。第5章で考える敵は，自分から利益を奪っていきそうな会社すべてが含まれる。同業他社も，部品の納入業者も，流通業者も，新規参入してきそうな企業も，皆，それぞれ自分から利益を奪う可能性があるから敵だと考えてみるのである。このさまざまな敵との関係について議論するのが第5章である。

　第6章では，企業全体の戦略の中で個々の製品分野がどのような位置づけをされているのか，という点を理解できるような枠組みを提示する。ここでは，高度に多角化した大企業の経営手法である製品ポートフォリオ・マネジメント（Product Portfolio Management，略してPPM）という手法が紹介される。PPMはもともとアメリカでいえばGE（ゼネラル・エレクトリック）社のような多角化した巨大企業の全体を管理するための手法として考え出されたもの

図Ⅱ　第Ⅱ部の見取り図

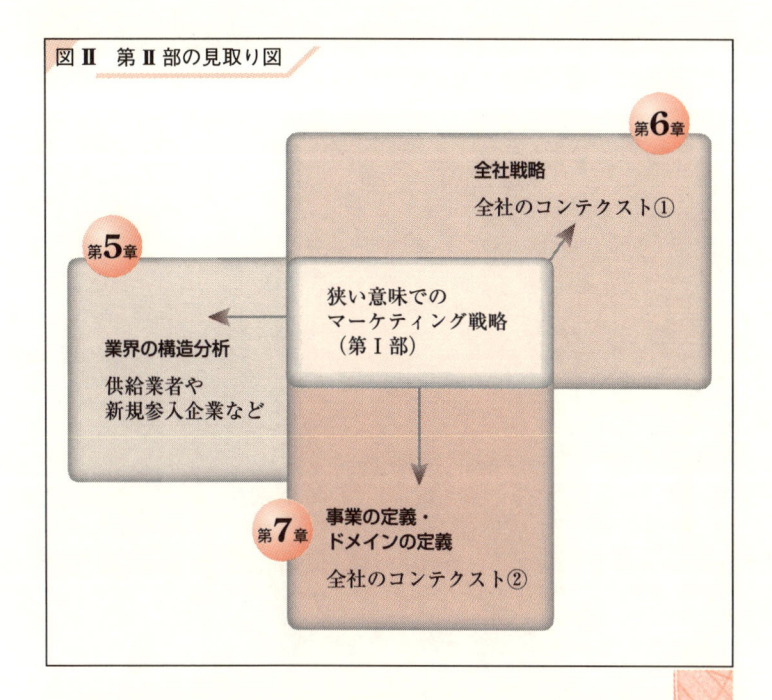

- 第6章　全社戦略　全社のコンテクスト①
- 第5章　業界の構造分析　供給業者や新規参入企業など
- 狭い意味でのマーケティング戦略（第Ⅰ部）
- 第7章　事業の定義・ドメインの定義　全社のコンテクスト②

であるが，この考え方自体は，より小規模な企業の経営や事業部内の製品ラインの経営にも示唆がある。

　第7章では，自分たちの従事しているビジネスがいったい何であり，どのようにそれを表現すればよいのか，という問題を考える。たとえば自分たちのビジネスはパソコンとソフトの販売である，と考えるべきなのか，それとも情報処理機器とソフトの販売だと考えるべきなのか，はたまた顧客の問題解決活動の支援だと考えるのか。この考え方によって働く人たちが次に何に注目し，市場の変化の何に気づき，何に気づかないか，といったことが変わってくる。これが第7章のテーマである。

第 5 章　業界の構造分析

1 競争要因と利益ポテンシャル

1. 儲かる業界儲からない業界

　苦労すれば報われると信じて生きている人は多い。筆者もその1人である。だがことおカネ儲けに関してはこの信念が成り立つとは限らない。この世の中はそれほど平等にできているわけではなくて、やはり楽に儲かる業界もあれば、苦労してもぜんぜん儲からない業界もある。顧客ニーズを十分に満たし、製品ライフサイクルや自社の市場地位にフィットしたマーケティング・ミックスを構築していても儲からない、そういう場合がある。その理由を知るには、これまでの議論よりも広い競争のコンテクス

図 5-1　5つの競争要因

```
                    ┌──────────┐
                    │ 潜在的な  │
                    │ 参入業者  │
                    └────┬─────┘
                         │ B 新規参入の脅威
 D 供給業者（売り手）     ▼
    の交渉力       ┌──────────┐
 ┌────────┐       │  業　界  │       ┌────────┐
 │供給業者│──────▶│A 既存企業間│◀──────│買い手  │
 └────────┘       │  の対抗度 │       └────────┘
                   └────▲─────┘         C 買い手の交渉力
                        │ E 代替品の脅威
                   ┌────┴─────┐
                   │  代替品  │
                   └──────────┘
```

（出所）　Porter [1980]，邦訳，18頁より一部修正して掲載。

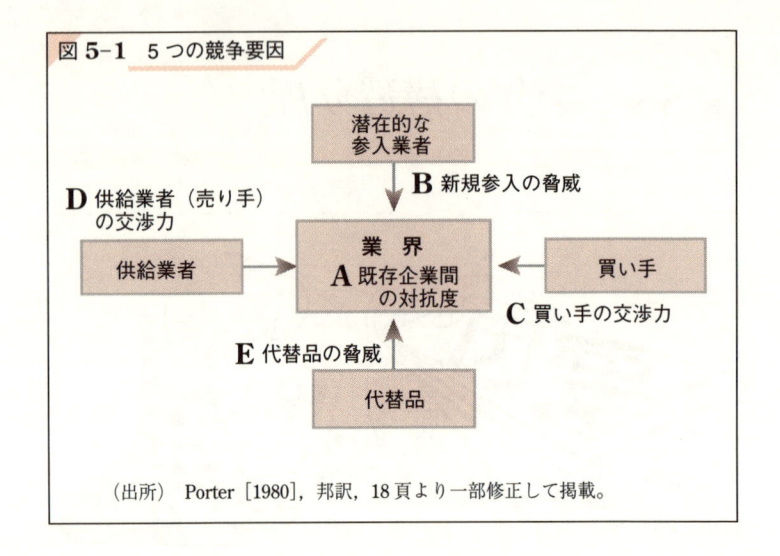

トを考える必要がある。

　競争が利益の奪い合いだとすれば，競争相手は同業他社のみではない。顧客に買いたたかれている場合もあれば，代替品の価格をにらんで仕方なく低い価格を付けなければならない場合もある。原料が独占されていて相手の言いなりの価格で買わなければならない時もあるし，新しい競争相手が参入してくるのを恐れて意図的に価格を下げている場合もある。業界の利益のあげやすさ，あげにくさを規定する多数の要因を大まかにまとめると，図 5-1 に示されている5つの競争要因に分類できるであろう。

　これは，もともとマイケル・ポーターという米国ハーバード大学の先生がまとめたものであり，世界中のコンサルタントが重宝に使っている考え方である。この手法が使えるようになると本当に便利なのだが，この手法にはひとつ大きな欠点がある。それは，この手法を学び，身に付ける際に，読んで理解するべき項目が多

すぎるという点である。あまりにも多いので、読んでいる途中で自分が今、どの部分を読んでいるのかが分からなくなりがちである。

 だが、議論の大筋の構造は実は非常に単純である。つまり、まず業界が儲かるか儲からないか、という点を最終的に明らかにしようとしているということを頭に入れておこう。

2. 5つの競争要因

儲かるか儲からないかという、その可能性のことを利益ポテンシャルと呼んでおこう。この利益ポテンシャルを左右する要因が5つのグループに分かれている。5つの競争要因が強ければ強いほど、利益ポテンシャルが下がる。これが最も基本的な部分である。

 その5つのグループの中に、また多数の要因がある。これらの要因によって5つの競争要因の強さが決まる。この3ステップの要因間関係を念頭に置いた上で図5-2を見ながら読み進めば、話は非常に簡単だということが分かるはずである。

 しかも、これはチェック・リストだと思って欲しい。5つの要因の内部にあるさまざまな細かい要因を暗記する必要はない。自分で業界を分析しようと思った時に丹念にひとつひとつチェックしていけばよい。図5-2の基本的な絵をイメージとして記憶していさえすれば、後はいつでもこの本を見ながらチェックしていけばよい。だから基本的な論理以外は全部忘れて良いのだ。

 図5-2に描かれている要素間の基本的な関係は次のようになっている。

(1) 既存企業間の対抗度が強ければ強いほど、利益ポテンシャルは低くなる。

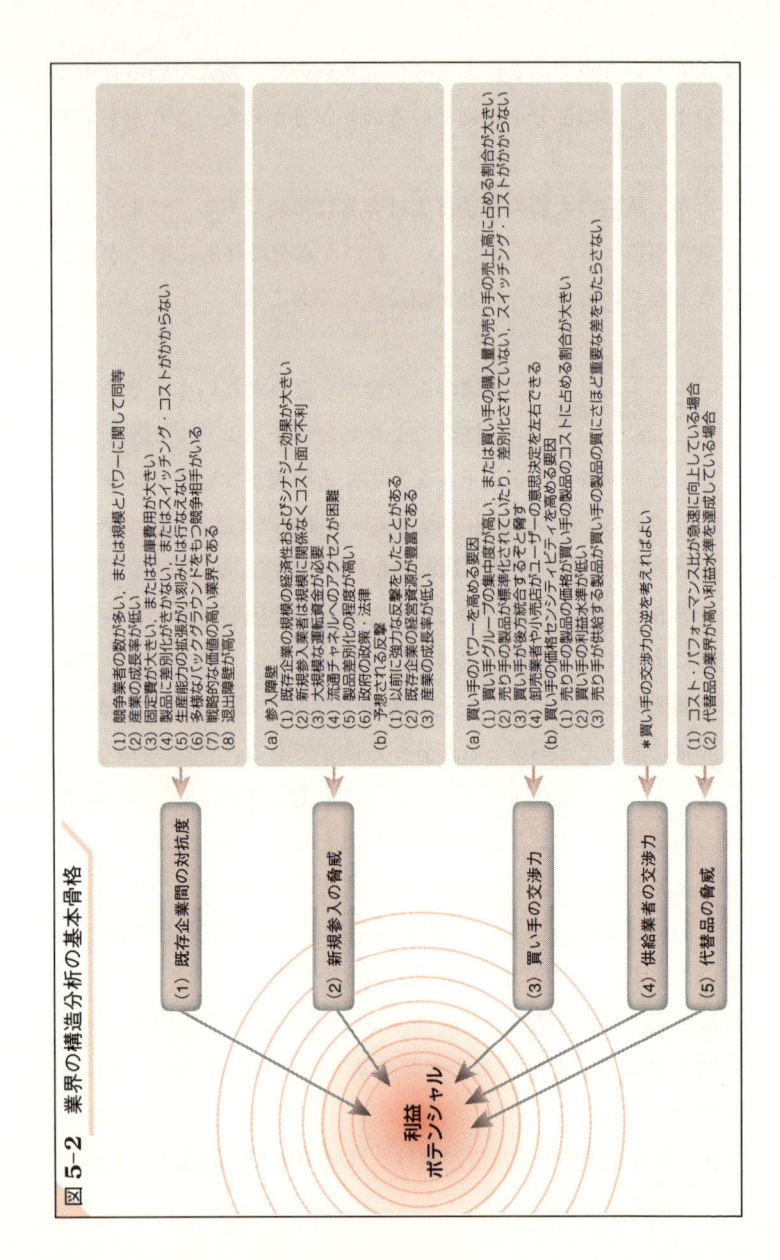

図 5-2 業界の構造分析の基本骨格

(1) 既存企業間の対抗度
(1) 競争業者の数が多い、または規模とパワーに関して同等
(2) 産業の成長率が低い
(3) 固定費が大きい、または在庫費用が大きい
(4) 製品に差別化がなく、またはスイッチング・コストがかからない
(5) 生産能力の拡張が小刻みには行なえない
(6) 多様なバックグラウンドをもつ競争相手がいる
(7) 戦略的な価値の高い業界である
(8) 退出障壁が高い

(2) 新規参入の脅威
参入障壁
(a) 既存企業の規模の経済性およびシナジー効果が大きい
(b) 新規参入者は大規模に関係なくコスト面で不利
(3) 大規模な運転資金が必要
(4) 流通チャネルへのアクセスが困難
(5) 製品差別化の程度が高い
(6) 政府の政策・法律
(b) 予想される反撃
(1) 以前に強力な反撃をしたことがある
(2) 既存企業の経営資源が豊富である
(3) 産業の成長率が低い

(3) 買い手の交渉力
(a) 買い手のパワーを高める要因
(1) 買い手グループの集中度が高い、または買い手の購入量が売り手の売上高に占める割合が大きい
(2) 売り手製品の標準化されていたり、差別化されていない、スイッチング・コストがかからない
(3) 買い手が後方統合するぞと脅す
(4) 即売業者や小売店がユーザーの意思決定を左右できる
(b) 買い手の価格センシティビティを高める要因
(1) 売り手の製品の価格が買い手の製品のコストに占める割合が大きい
(2) 買い手の利益水準が低い
(3) 売り手が供給する製品が買い手の製品の質にさほど重要な差をもたらさない

(4) 供給業者の交渉力
＊買い手の交渉力の逆を考えればよい

(5) 代替品の脅威
(1) コスト・パフォーマンス比が急速に向上している場合
(2) 代替品の業界が高い利益水準を達成している場合

↓ ↓ ↓ ↓ ↓

(1) 既存企業間の対抗度
(2) 新規参入の脅威
(3) 買い手の交渉力
(4) 供給業者の交渉力
(5) 代替品の脅威

→ 利益ポテンシャル

①価格競争，②広告戦争，③新製品開発競争，④顧客サービスの競争などなど，どれをやったとしても，それによって市場全体の規模が著しく拡大しない限り，その業界の利益ポテンシャルは下がる。

(2) 新規参入の脅威が大きければ大きいほど，利益ポテンシャルは低くなる。

新規参入があると，①業界全体の生産能力が増大し，②市場シェアを拡大しようという意志と能力が新たに生まれる。それによって激しい競争が行なわれる危険が増える。それ故，既にその業界でビジネスに従事している企業は新規参入が起こらないように，ある程度製品の価格を低めにしておく，などの防衛策をとらなければならない。つまり新規参入の脅威がある業界は，その脅威がない場合に較べるとボロ儲けをひかえなくてはならなくなる。

(3) 買い手の交渉力が大きければ大きいほど，利益ポテンシャルは低くなる。

買い手は，①値引きを要求したり，②よりよいサービスを要求するなどの行動をとる。顧客がこれらを要求する必要に迫られており，その要求を押しつけるだけのパワーをもっていれば，こちら側の利益ポテンシャルが下がってしまう。

(4) 供給業者の交渉力が大きければ大きいほど，利益ポテンシャルは低くなる。

基本的には「買い手の交渉力」の逆を考えればよい。供給業者は，①値上げを要求したり，②品質・サービスの低下を行なう。その必要とパワーが供給業者にある場合には，業界の利益ポテンシャルが下がる。

(5) **代替品の脅威**が大きければ大きいほど，利益ポテンシャルは低くなる。

　他に代替品がないのであれば，かなり高い価格を設定できるけれども，他にも魅力的な代替品が存在するのであれば，企業は自分の会社の製品にそれほど高い価格を設定できなくなる。つまり代替品の脅威は企業が自分たちの製品に設定できる価格の上限を規定することで業界の利益ポテンシャルを低める方向に作用するのである。

図5-2に見られる利益ポテンシャルと5つの競争要因の基本的な関係が分かれば，あとは5つの競争要因の中の詳細な検討に進むことができるであろう。この基本関係さえつかんでおけば，個々の詳細な要因については，「だいたい同じような要因がいっぱい並んでいるのだろう」という程度の気持ちで見ていけばよい。

もうひとつ，この手法を理解する上で注意しておくべきことがある。それは，この章を読むときに，「スキさえあればいつでも自分の会社から利益を奪おうとしているずる賢いヤツしかこの世にいない」という悲観的な世界観を想定しなければならないということである。普通の日本人がこの手法をなかなか理解できない理由のひとつは，世の中に対してもっと楽観的に育ってきた人が多いという点であろう。皆，良い人々に取り囲まれて幸せに育ってきたのだ。だが，本章を読むには，いったん，「周りはみんな敵だ」という悲観主義者を装って欲しい。その方がよく理解できるはずである。

それでは，5つの競争要因の細目をひとつずつ説明していく作業にとりかかろう。

2　既存企業間の対抗度・敵対関係の強さを規定する要因

　業界の中には既に何社か，同業他社がいる。これらの企業を**既存企業**と呼ぼう。新たに参入してきそうな企業と区別するためである。

　これら既存企業の間では，①価格競争や，②広告競争，③新製品開発競争，④顧客サービス向上の競争などが行なわれる。これらの激しい競争は，その競争を通じて市場規模を著しく拡大しないかぎりは，業界全体の利益ポテンシャルを低めることになる。

　既存企業間の敵対関係を強め，これらの激しい競争を引き起こしやすいのは，**表5-1**の8つの条件が当てはまるときである。

　これら8つの細目をひとつずつ簡単に説明していこう。

1. 競 争 業 者　　(1) **競争業者の数が多い，もしくは規模とパワーが同等である**

　多数の競争業者がひしめきあっている業界や，たとえ競争業者の数が少なくても，その規模と経営資源の質と量が同程度である業界は激しい競争に陥りやすい。

　この「競争業者の数が多い，もしくは規模とパワーが同等」である程度を表わす指標に，ハーフィンダル指数という便利なものがある。これは各企業の市場シェアを2乗して足し合わせる，という単純なやり方で計算できる。

$$\text{ハーフィンダル指数}：\sum_{i=1}^{n}(i\text{社の市場シェア})^2$$

第5章　業界の構造分析

表 5-1　既存企業間の敵対関係を強める条件

(1) 競争業者の数が多い，または，規模とパワーに関して同等
(2) 産業の成長率が低い
(3) 固定費が大きい，または，在庫費用が大きい
(4) 製品に差別化がきかない
　　または，スイッチング・コストがかからない
(5) 生産能力の拡張が小刻みには行なえない
(6) 多様なバックグラウンドをもつ競争相手がいる
(7) 戦略的な価値の高い業界である
(8) 退出障壁が高い

　数式が出てきて驚く必要はない。Σ（シグマ）記号は全部足すという意味である。2乗して足していけば良いだけだから，手許の電卓で簡単に計算できるはずである。ハーフィンダル指数は，①競争業者の数が多ければ多いほど小さくなり，②競争業者の数が一定でも企業間の格差が小さく同程度の大きさになればなるほど，やはり小さくなる。それ故，ハーフィンダル指数が小さいことは，「競争業者の数が多い，もしくは規模とパワーが同等」であることを表わしていると考えられるのである。ハーフィンダル指数が小さければ小さいほど，激しい競争に陥りやすいと推測することができる。

　簡単な例で確認しておこう。たとえば表 5-2 を見ていただきたい。まず表の (a) と (b) を比べてみよう。(a) は 5 社が同じシェアを持っている場合であり，(b) は 10 社が同じシェアを持っている場合である。前者のハーフィンダル指数が 0.2 で，後者のそれは 0.1 である。明らかに競争相手の数が増えるとハーフィンダル指数が小さくなっていることが分かる。また (a) と (c)

表 5-2　ハーフィンダル指数の説明

(a) 5 社規模対等のケース

	市場シェア(%)	市場シェア(小数)	(市場シェア)^2
1 位企業	20 %	0.2	0.04
2 位企業	20 %	0.2	0.04
3 位企業	20 %	0.2	0.04
4 位企業	20 %	0.2	0.04
5 位企業	20 %	0.2	0.04
合　計	100 %	ハーフィンダル指数＝0.2	

(b) 10 社規模対等のケース

	市場シェア(%)	市場シェア(小数)	(市場シェア)^2
1 位企業	10 %	0.1	0.01
2 位企業	10 %	0.1	0.01
3 位企業	10 %	0.1	0.01
4 位企業	10 %	0.1	0.01
5 位企業	10 %	0.1	0.01
6 位企業	10 %	0.1	0.01
7 位企業	10 %	0.1	0.01
8 位企業	10 %	0.1	0.01
9 位企業	10 %	0.1	0.01
10 位企業	10 %	0.1	0.01
合　計	100 %	ハーフィンダル指数＝0.1	

(c) 5 社規模格差のケース

	市場シェア(%)	市場シェア(小数)	(市場シェア)^2
1 位企業	80 %	0.8	0.64
2 位企業	10 %	0.1	0.01
3 位企業	5 %	0.05	0.0025
4 位企業	3 %	0.03	0.0009
5 位企業	2 %	0.02	0.0004
合　計	100 %	ハーフィンダル指数＝0.6538	

表 5-3 ビール，発泡酒業界とカラーフィルム業界のハーフィンダル指数

ビール・発泡酒業界（1998年）

会社名	市場シェア(%)	市場シェア(小数)	2乗
キリンビール	40.3	0.403	0.16241
アサヒビール	34.2	0.342	0.11696
サッポロビール	16.0	0.16	0.02560
サントリー	8.6	0.086	0.00740
オリオンビール	0.9	0.009	0.00008
合　計	100.0	ハーフィンダル指数＝0.31	

カラーフィルム業界（1998年）

会社名	市場シェア(%)	市場シェア(小数)	2乗
富士写真フイルム	67.4	0.674	0.45428
コニカ	20.9	0.209	0.04368
コダック	10.1	0.101	0.01020
日本アグファ・ゲバルト	1.2	0.012	0.00014
三菱製紙	0.4	0.004	0.00002
合　計	100.0	ハーフィンダル指数＝0.51	

（出所）『日経産業新聞』1999年7月15日，19頁。

を比較してみよう。(c) は業界1位企業が80パーセントのシェアを，2位企業が10パーセント，3位以下の企業がそれぞれ5パーセント，3パーセント，2パーセントのシェアを持っている場合を表わしている。(a) の0.2に比べると，(c) のハーフィンダル指数は約0.65であり，大幅に大きくなっていることが分かるであろう。

より具体的に現実の業界の数字を計算してみよう。表5-3は1998年のビール・発泡酒業界とカラーフィルム業界の各社の市場シェアをもとにハーフィンダル指数を計算したものである。ビール・発泡酒業界のハーフィンダル指数が約0.31，カラーフィル

ム業界のそれが約 0.51 である。この数字だけから判断するならば，カラーフィルム業界の方がビール・発泡酒業界よりも安定している，と推測できる。

> 2. 産業の成長率

(2) **産業の成長率が低い**

成長率が高ければ，ますます増大していく需要にあわせて生産設備も増強しなければならないし，流通チャネルも拡充しなければならなくなるなど，他社と競争すること以外にも「やらなければならないこと」がたくさんある。新規にお客さんが増えているのだから，競争相手のお客さんを奪うまでもなく各社ともに売上高アップができる。逆に成長率が低ければ，ライバル企業のお客さんを奪わなければ自分の会社の売上高を伸ばすことができない。相手もそう考えている。だから成長率が低いと既存企業間で激しい競争が始まりやすいのである。

たとえばビール・発泡酒業界は対前年比で出荷量が 0.1 パーセントしか伸びていない。これに比べて，たとえば DVD プレーヤー業界は対前年比 62.1 パーセントの成長をしている。この点ではビール・発泡酒業界の方が激しい競争に陥りやすいと推測される。

> 3. 固定費・在庫費用

(3) **固定費が大きい，あるいは在庫費用が大きい**

たとえば製品を作るのに巨大な生産設備が必要な業界では，固定費も大きい。非常に高価な生産設備をもっている会社は，できるだけフル操業で機械を有効に使いきりたい，と考えるであろう。この場合，多少値引きをしても，工場の機械を動かし続けたいと

皆が思う。だが，そうなれば価格競争が激しくなってしまう。鉄鋼業や半導体メモリーの産業は巨大で高価な生産設備をもつ業界の典型であろう。いったん激しい競争に陥り始めると，鉄鋼も半導体メモリーも急速に価格が下がっていく。

在庫費用が大きいものというのは，時間が経過すると腐（くさ）ってしまうものとか，流行のあるもののことである。流行の最先端を追いかけているようなファッション性の高い衣料品や生鮮食料品のように，在庫を抱え続けていくと先々まったく売れなくなってしまうような業界では，季節の終わりや1日の終わりに特売・セールなどで大幅な値引きが行なわれる。

4. 差別化の困難さ

(4) 製品に差別化がきかない，もしくはスイッチング・コストがかからない

製品自体の特徴ゆえに差別化が難しいものがある。たとえばブランドごとに大きな違いがはっきりと目に見える自動車のような製品に比べれば，綿糸（めんし）のような商品（これをコモディティと呼ぶ）は太さと長さを決めれば，どこの会社から買っても大差はない。極端な場合には，たとえば，スリーナイン（純度99.9パーセント）の金であれば，どこの国で生産された金でも同じ価値をもつはずである。金ほど極端な例ではないにしても，各社の技術水準が同程度であるような業界では「どこの会社の製品でもたいして差はない」というような場合もある。このような場合，顧客は価格の高い低いのみに反応して製品を選ぶので，激しい価格競争が展開される傾向が強まるのである。たとえばセメントとかビデオ・テープなどは，どこの製品を買ってきてもそれほど差はないと顧客が考えているので，価格競争に陥る可能性が高いのである。

同じように，お客さんが今まで慣れ親しんできたブランドを変更して他のブランドに切り替えたとしても「大差ない」という場合には激しい価格競争が展開されやすい。ブランドを変更することで顧客の側に発生するコストを**スイッチング・コスト**という。ブランド・スイッチによるコストである。このコストが低い場合にも，業界の利益ポテンシャルは低くなってしまう。

　たとえば今までニコンの一眼レフを使ってきた人がミノルタに変更しようとすると，ニコンの交換レンズが使えなくなり，新たにミノルタのレンズを揃えなければならない。マッキントッシュのパソコンを使っていた人が，IBMの「アプティバ」に買い換えたとすると，それまでマック用に揃えてきたソフトウェアが使えなくなってしまう。しかも基本操作がいろいろ違うし，キーボードの配列も微妙なところが違い，マウスの操作感も違う。ソフトを買い換えるのもコスト，操作感になれるまでに時間がかかるのもコストである。生産設備などの産業財市場でもスイッチング・コストは重要である。ある会社から買った生産設備を他社の生産設備に買い換えると，生産ラインを全部設計しなおさないとならなくなるとか，現場の労働者が機械の使い方になれるまでに時間がかかるなどなどである。顧客がこうむるこれらのコストがスイッチング・コストである。

　スイッチング・コストがかかるばあい，お客さんはそのコストを嫌うので，ブランドを変更したくない。だから1回どこかの会社の製品を買ったら，その後はずっとその会社の製品を買い続けたいと思う。こうしてメーカーと顧客の関係は長期的なものになり，安定する。だが逆にスイッチング・コストがかからないのであれば，顧客は買い換えのたびごとに製品価格に注目して浮気を

する可能性が高い。だから，スイッチング・コストがかからないものの場合には，業界は激しい価格競争に陥りやすくなるのである。

ついでながら，差別化とスイッチング・コストはほとんど同じものだということに気づかれた読者も多いであろう。要するに，差別化とかブランド選好といわれているものが，買い手の心の中で，感情的スイッチング・コストを発生させていると考えればよいのである。

5. 生産能力の拡張単位

(5) 生産能力の拡張が小刻みには行なえない

需要が増えたら，その増えた分だけ生産能力も大きくできる，という業界は多くはない。たいていの製品は，それを生産するのに最低でもこの程度の規模で作らないと安くはできない，という固有の大きさがあるものだ。フル操業のコンピュータ・メーカーが，需要の増加に合わせて月産10台規模の工場を新設する，などということはない。いったん工場を新設したり，生産ラインを1本増やしたりすれば，生産できる数量は一気に大きくなるのである。

業界の中には，この増設する生産能力の基本単位が大きい場合もあれば比較的小さい場合もある。日本酒メーカーが新しい醸造用のタルを1つ追加しても，業界全体の需要量を大きく変えることはないだろうが，国際電話の需要量が大きくなったのに合わせて，海底ケーブルを1本増設したり，衛星を1つ打ち上げれば，それによって可能になる通信量は一気に高まるに違いない。

図5-3には，生産能力の拡張単位の違いが図示されている。

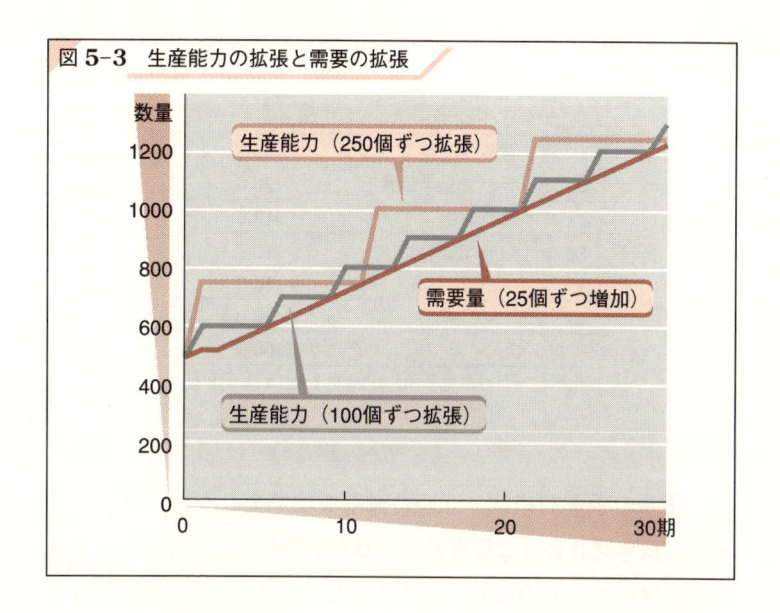

図 5-3　生産能力の拡張と需要の拡張

需要量が毎年 25 個ずつ増えていると仮定し,それに合わせて 100 個ずつ生産能力をアップできる場合と,250 個ずつアップしなければならない場合が描かれている。100 個ずつに比べて 250 個ずつと生産能力が大きい場合には,その増設時に大きな過剰供給能力が生まれてしまう。こういう場合には,生産能力の増設直後に需給バランスが大きく崩れ,激しい競争に陥りやすくなる。より具体的には値崩れなどが起こるのである。

6. 競争業者の性格

(6) 多様なバックグラウンドをもつ競争相手がいる

　競争業者の本業や国籍が違っていたり,目指している目標(シェア重視か利益重視など)が違う場合には,激しい競争に陥りやすい。互いに相手の手のうちを読むのに苦労するからである。互

表 5-4　デジタル・カメラ業界（1998 年度）

会　社　名	市場シェア (%)
1　富士写真フイルム	23.5
2　オリンパス光学工業	20.0
3　カシオ計算機	12.8
4　セイコーエプソン	10.7
5　コダック	10.0
そ　の　他	23.0
合　　計	100.0

（出所）『日経産業新聞』1999 年 7 月 15 日，19 頁。

いに相手の手を読めば，互いに無茶な攻撃をしかけたりしない。また，長年同じような企業どうしで競争をしてくると，その業界内で暗黙のルールのようなものが生まれてくる。「普通はこういうエグいことはやらないよね」といった禁じ手が暗黙のうちに了解されていたりするのである。逆に，比較的新しい業界などで，それぞれ本業などが異なるなどの多様な企業が争い合うと，かなり激しい競争になりかねないのである。

　たとえばデジタル・カメラ業界は，多様なバックグラウンドをもつ競争相手がいる典型的な業界の 1 つであろう。業界 1 位の富士写真フイルムと 5 位のコダックは両方とも写真用フィルムをバックグラウンドとするが，第 2 位のオリンパスはカメラ業界，3 位のカシオ計算機は電卓やウオッチ，コンシューマ・エレクトロニクスの会社であり，4 位のセイコーエプソンは時計や電子部品のメーカーである。その他にも東芝や松下などの総合電機メーカーや家電メーカーも競争に加わっている。技術的には類似の製品でも，それぞれの会社がこれまで蓄積してきたマーケティング・

ノウハウは随分異なるはずである。皆，相手の手のうちを読むのに苦労しているに違いない。

> **7. 将 来 性**

(7) 戦略的な価値の高い業界である

　　将来の事業展開上非常に重要な部品など，「戦略的に価値アリ」と競争企業たちが信じている事業からは，たとえ赤字が続いたとしても誰も撤退しない。しかも，あらゆる経営資源を投入してその市場でシェアを獲得しようと努力するであろう。それ故，このような業界は非常に厳しい競争に陥る可能性が高い。

　たとえば近年の自動車用バッテリー業界はなかなか大変な競争に陥っている。韓国から輸入される低価格品との競争も厳しいし，業界内の生産能力も過剰ぎみであり，トップ企業の日本電池ですら1999年3月期には上場以来初の赤字になっている。供給過剰で，当面利益が出にくいことは分かっていても，それでも誰も撤退しない。その理由は，これから21世紀にかけてトヨタの「プリウス」のようなエンジンとモーターを両方備えたハイブリッド・カーや，完全な電気自動車などが普及していくことが見込まれており，それまでの間，自動車メーカーとのつながりを切ってしまうわけにはいかない，と考えているからである。

> **8. 退出障壁**

(8) 退出障壁が高い

　　利益が十分にあがらないのが分かっていても，それでもなお，その業界内に企業が踏みとどまる理由は，「戦略的価値の高さ」以外にも多数ある。たとえば設備が専門化されている場合には，ある業界から撤退してもその設備をつかっ

第5章　業界の構造分析

て他のモノをつくることができないし，他の会社に売却することも難しい。鉄鋼メーカーの高炉を鉄以外の他のモノを作る用途に使うというのはほとんど考えられない。また，業界から撤退しても，既に販売済みの自社製品の故障修理用に予備部品などを用意しておかなくてはならない場合が多い。これらは，その業界から撤退することによって企業がこうむるコストである。これを退出障壁と言う。

　退出障壁には，撤退によるイメージ・ダウンや感情的な抵抗感，政府や社会的な制約などなど，他にもいろいろある。これらがどの程度大きなコストになるのかは業界ごとに異なる。そのコストが大きいところでは，儲からなくても皆が撤退しないので，厳しい競争が長続きする可能性が高いのである。

　実際に分析を行なう場合，以上のような8つの要因をまずひとつずつチェックしていく。ハーフィンダル指数が小さいか大きいかとか，成長率は高いか低いか，固定費は大きいか，といった項目についてひとつずつ答えを出し，その上でその業界では現在どの項目が最も重要であるかといった点にも注意しながら，「この業界の既存企業間の対抗度は高い」あるいは「低い」などといった総合的な判断を下すのである。ここまで終われば，次の新規参入の脅威について，またひとつずつ要因をチェックする作業を始めればよい。

3　新規参入の脅威

新規参入があると，業界全体の生産能力が増大し，市場シェア

表5-5 参入障壁の高さと予想される反撃の強さ

(1) 参入障壁	(2) 予想される反撃の強さ
①規模の経済とシナジー効果が大きい ②規模に関係なくコスト面で新規参入側が不利 ③大規模な運転資金が必要である ④流通チャネルへのアクセスが困難である ⑤製品差別化の程度が高い ⑥政府の政策・法律によって新規参入が難しい	①以前に強力な反撃をしたことがある ②既存企業の経営資源が豊富である ③産業の成長率が低い

を拡大したいという意欲と,それを実現できる能力が業界内に生まれることになる。そのため,新規参入が生じれば激しい競争が展開され,業界の利益ポテンシャルは大幅に下がってしまうであろう。

したがって,既に業界内で営業している企業は,新規参入が起こらないように注意しておかなければならない。たとえば高い価格を設定して独占利潤を稼いでいるのが分かれば,多くの企業がスキあらば参入しようと狙ってくるであろう。だから,新規参入の可能性が高ければ,それほど高い価格を設定することができず,大儲けは難しくなる。つまり,実際に企業が参入してこなくても,参入してくる可能性が高い,ということだけで業界の利益ポテンシャルは下がってしまうのである。

もし何らかの理由で外部の企業が参入をためらうような条件がそろっているならば,「新規参入があるかもしれないから価格を低く設定しておこう」というような配慮は必要なくなる。その分だけ大きな利潤を既存企業は獲得できるはずである。

外部企業に参入を思いとどまらせるような条件は，参入する側の企業にコストを生じさせる構造的な条件と，既存企業から受けると予想される反撃の強さの両方によって決まってくる。前者の「構造的な条件」を参入障壁という。つまり「参入の脅威」＝「参入障壁の高さ」×「予想される反撃の強さ」である。

参入障壁の高さと予想される反撃の強さを規定する要因は**表5-5**に示されている。

1. 参入障壁

(1) 規模の経済とシナジー効果が大きい

既に第4章でも説明してあるので，ここでは規模の経済性とシナジー効果について簡単に解説しておくにとどめよう。

規模の経済とは，ある一定期間内に生産する数量が大きくなるほど，製品1つあたりのコストが下がる効果を言う。ここで注意してもらいたいのは，たとえば，より大きな機械を使うと大量生産が可能になり，増えた生産数量ほどは機械の値段は高くならないというような場合に規模の経済が働くことになる，ということである。試験管をつかって化学物質を作るよりも，大きな化学プラントで化学物質を作った方が1リットルあたりのコストが低くなる，というようなことをイメージしてもらえばよい。

シナジー効果は異なる種類の製品を製造・販売している方が，単一の製品を製造・販売しているよりも，製品1つあたりのコストが下がる効果をいう。たとえばウォッチだけを製造・販売するよりも，ウォッチと電卓を両方作って売っている方が液晶ディスプレイのような共通部品の生産コスト・調達コストが安くなる，などの効果である。

規模の経済性が大きく作用する業界には当初から大きな規模で参入しなければならないし，シナジー効果が大きければ同時に複数の業界に参入しないと既存企業と戦えない。初期投資が大きくなり，失敗した場合のリスクも大きくなる。それ故，新規参入を思いとどまってくれる企業が多くなるはずである。新規参入しそうな企業が勝手に思いとどまってくれるのだから，既に業界内にいる企業は業界内の価格をわざわざ下げる必要がなくなり，少し楽になる。逆に，これらの効果が働かないのであれば，新規参入しそうな企業が多数ありうるので，あまり大儲けをすることが出来なくなってしまう。

(2) **新規参入企業が規模に関係なくコスト面で不利な場合**

　規模に関係なくコスト差が付く原因のひとつは，経験効果であろう。経験効果についても既に説明したが，ここでも簡単に触れておこう。**経験効果**はこれまでに生産してきた数量が多いほど，会社に経験が蓄積されていて，1個あたり安く作ることができる効果を言う。一般には，累積生産量が2倍になるごとに，1単位当たりのコストが一定率で低下すると言われている。たとえば今まで10万個の生産をしてきた企業は，5万個しか生産した経験を持たない企業に比べて，1個あたり20パーセントほど安く作ることができる，というような関係が想定されているのである。

　経験効果が大きく作用しているような場合には，既存企業はそれまでにも多数の生産経験をもつので，新たに参入してくる企業よりも安く作れるはずである。新規参入企業が古株の企業と対等に安く作ることができるようになるまでには，随分長い期間の生産経験を積まないとならない。それ故，経験効果が大きくきいているような業界には，新規参入をためらう企業が多いであろう。

これが参入障壁になるのである。

なお、規模の経済性と経験効果の違いについて、わざわざ計測しなくても、だいたいのところを見極めるコツと言われているものを1つだけ書いておこう。一般に、規模の経済性は大きな機械設備を投入することで得られるのに対し、経験効果は人間が学ぶことで得られる効果である。それ故、規模の経済性は資本集約的な業界にしばしば見られるものであるのに対して、経験効果は労働集約的な業界で重要な役割を演じている。誤解をおそれずに簡単に言えば、生産工程で自動機械が大きな役割を果たしているのが資本集約的な業界であり、規模の経済性がきく。これに対して生産工程で人手を多用している場合が労働集約的であり、経験効果が大きく作用する、と考えておけばよい。たとえば同じテレビの生産工程でも、ブラウン管の生産工程は自動化された連続生産プロセスが多く資本集約的であり、最終的なキャビネットへの組立作業は人手のかかる労働集約的な生産工程である場合が多い。この場合、ブラウン管の生産工程では規模の経済性が重要であり、組立作業では経験効果が重要になる。

経験効果以外にも、「規模にかかわりなく新規参入業者がコスト面で不利」になる要因はいろいろある。たとえば、既存企業が多数の重要な特許を先に取得している場合には、新規参入する企業は特許使用料を支払うか、自分たちでその特許を回避する発明をしなければならない。

また、先に良い立地に店や工場を建てられてしまうと、後から出ていった会社は不利になる。経験効果を含めて、これらの効果は「より早く先に入ったものが得られるメリット」であるので、先行者の優位性（ファースト・ムーバーズ・アドバンテージ：最初に

動いた人の優位性）とも呼ばれている。なお，このほかにも，既存企業が政府から補助金を得ていて，後から参入する企業がそれをもらえないのであれば，規模などには関わりなく既存企業が有利になるということがある。自分で戦略を立てるときにはこういう点も忘れないようにしよう。

(3) **大規模な運転資金が必要である**

(1)や(2)と同じことを言っているように思われるかもしれないが，ここでは次のようなことを想定している。つまり，顧客に対して割賦販売（代金の分割払い販売）を行なうのが慣例になっているような業界や，顧客に対してリースするのが慣例になっているような業界の場合，新規参入しようとする企業はかなり大量のキャッシュをもっていないとならない，というようなことである。それ故，新規参入しようとする企業が参入をためらうのである。

消費者がローンを組んで買うのが普通になっている場合やリースが常識になっている場合には，売却と同時にお金がメーカーの手に入るわけではないので，別に金融サービスの会社を作らなければならないという場合もあるだろう。ゼロックスは複写機をリース契約で顧客のところに設置するというのをビジネスの基本としたので，それ以後に複写機業界に参入しようと考える企業は巨額の運転資金を用意しなければ参入できないという事態に直面していた。もちろんゼロックスの場合には特許も強力な参入障壁になっていたが，同時にこの運転資金の大きさも参入障壁になっていたのである。

このような複写機業界にキヤノンは「ミニコピア」という売り切り商品を開発して大きな成功をおさめた。キヤノンは「ミニコピア」をメンテナンス・フリーにするという技術革新を行ない，

売り切りを可能にしたという意味で、キヤノンの「ミニコピア」の事例は技術革新の例としてしばしばとりあげられるが、実は、リースではなく売り切りにすることでビジネスのやり方自体を変革したという意味では、マーケティングのイノベーションであったことを忘れてはならない。

(4) 流通チャネルへのアクセスが困難である

小売店でシェルフ・スペースを獲得することは、容易ではない。たとえばどれほど大きなスーパーでも売場面積には限りがあり、その中で冷凍食品を陳列するスペースに割り当てられる部分にもやはり限りがある。その冷凍食品の陳列スペースに新たに参入するというのは、かなり難しい。とりわけ既に定番になってしまった商品分野では、やはり定番となったブランドがあり、それを押しのけてまで新規ブランドが入り込むというのは至難の業である。たとえば、既に定番となっているニチレイのコロッケや加卜吉のエビフライなどを押しのけてまで新規参入企業がシェルフ・スペースを確保するのは非常に難しいのである。

(5) 製品差別化の程度が高い

既存企業が、これまでの事業活動によって製品差別化に十分成功してきており、顧客のブランド・ロイヤルティを確立しているような場合には、新規に参入しても顧客を奪うのが困難である。製品差別化を促進する要因には、①過去の広告費投入量や、②顧客に対するサービスの厚み、③製品品質自体の目立った違い、④その製品を最初に市場に投入した企業であるという歴史的事実などがある。だから、既存企業がこれまでに大量に広告費を使ってきた場合とか、非常に顧客サービスがしっかりしている、といった業界に新規参入するのは難しいのである。

たとえばアメリカの写真用フィルム業界に富士写真フイルムが参入するには大変な努力が必要であった。富士写真フイルムの技術力が非常に優れていても，アメリカ国内最大手のイーストマン・コダック社はさまざまな参入障壁を構築してきたからである。コダック社はそれまでに大量の広告費を投入してきた実績をもち，消費者にはコダック製品のカラー＝黄色が安心の印として定着していたはずである。その上，創設者のイーストマン・コダック自身が一般向けの写真フィルムと現像サービスを創始したという歴史的事実もあり，アメリカでは立志伝中の人物として有名でもある。この市場に参入して既に一定の市場シェアを確立してきた富士写真フイルムは非常に強力な参入障壁に直面したはずである。

(6) 政府の政策・法律

　許認可制のとられている業界には参入が難しいのは当然であろう。そのほかにも公害や安全性について厳しい基準が設定されている業界には参入が難しい。たとえば医薬品を発売するには，厚生省の認可が必要であり，厚生省の認可を得るにはクスリの効能や副作用が無いことなどについて，非常に厳しい試験を通らなければならない。今日発明したからといって，明日から市場に導入できるわけではないのである。通常の医薬品は新薬開発プロジェクトのスタートから市場導入まで10年もかかる。人間の生死や子孫への影響など重大な問題だから仕方ないが，この時間の長さと労力の多さが医薬品業界への参入障壁になっている。

2. 予想される反撃の強さ

　新規参入をしたら既存企業から激しい反撃を受けるかもしれない。こう考えたら新規参入しようと考えている企業も，

「やっぱり参入するのはやめておこう」と考えるかもしれない。だから既存企業の立場からすれば、新規参入をしそうな企業に対して、「いつでも強力に反撃するぞ」という姿勢を見せておかないとならない。しかしフリだけだったらすぐバレてしまう。本当に激しい反撃をしそうかどうかは次のような条件を見て判断する。

(1) 実際に既存企業が以前に強力な反撃をしたことがあるという実績の有無。
(2) 反撃するための資金などの経営資源を既存企業が豊富にもっているか否か。
(3) 業界の成長率が低いかどうか。

過去に強力な反撃をしたことがある既存企業が業界内にいれば、新規参入企業はそうとうな覚悟をしてからでなければ参入できないであろう。既存企業の経営資源が豊富であれば、反撃する能力が高いので、新規参入企業に対して長期にわたる広告戦争や新製品開発競争、価格競争が繰り広げられる可能性が高い。また、業界の成長率が低ければ、既存企業も自社の売上げダウンを阻止するべく必死になるはずである。逆に業界の成長率が高く、新規需要が次々に生まれていて需要を満たすのに必死であるような状況下では、新規参入企業に対していちいち反撃している暇はないかもしれない。

既存企業間の対抗度と同様に、新規参入の脅威についても、ひとつひとつの要因をチェックして、最終的に「新規参入の脅威が大きいか小さいか」という点について総合的な判断を下していく。そして総合的な判断が終わったら次に進もう。

4　買い手の交渉力（売り手の交渉力）

　買い手の交渉力と売り手の交渉力は，買い手と売り手の立場を入れ替えれば両方理解できるはずなので，ここでは買い手の交渉力のみを説明しておくことにしよう。自分の会社と買い手側の会社の交渉力を比べてどちらが強いのかを分析するのと同じ論理を，自分の会社＝買い手，部品供給業者＝売り手と考えて応用すれば良いのである。

　買い手側の企業も利益を確保するのに必死である。できるだけ安くて良い製品を購入しようとする。同じ値段でもより手厚いサービスを要求するかもしれない。わが社もまた利益確保に必死である。安いコストでつくったものを高く売れるなら，それにこしたことはない。だから買い手とわが社は利益を奪い合う関係にもある。もちろん相手企業との間に長年の取引を通じて信頼関係もでき，互いに協力しあっているのだが，それでも根暗な見方をすれば互いに限られた利益を奪い合っているという関係にある，と考えることもできるのである。

　買い手がウチの会社の製品を買いたたこうとするのは，買い手が購入価格を下げたいと思っている希望の強さと，その希望をウチの会社に押しつけるパワーの強さという2つの要因で決まる。ここでは買い手が購入価格を下げたいと思っている希望の強さのことを価格センシティビティの強さと呼んでおこう。「買い手の交渉力」＝「買い手のパワー」×「買い手の価格センシティビティ」である。それぞれのより詳細な要因は**表 5-6** に示されている通り

> **表 5-6　買い手のパワーと価格センシティビティを高める要因**
>
> **(1) 買い手のパワーを高める要因**
>
> ①買い手グループの集中度が高い。または買い手の購入量が売り手（わが社）の売上高に占める割合が大きい。
> ②製品が標準化されていたり，差別化されていない。またはスイッチング・コストがかからない。
> ③買い手が後方統合するぞと脅す。
> ④卸売業者や小売店がユーザーの意思決定を左右できる。
>
> **(2) 買い手の価格センシティビティを高める要因**
>
> ①売り手（わが社）の製品の価格が，買い手の製品のコストに占める割合が大きい。
> ②買い手の利益水準が低い。
> ③売り手（わが社）の供給している製品が買い手の製品の質に重要な差をもたらさない。

である。

それぞれの要因について簡単に説明していこう。

1. 買い手のパワーを高める要因

(1) 買い手グループの集中度が高い。または買い手の購入量が売り手（わが社）の売上高に占める割合が大きい。

買い手グループの集中度が高いというのは，買い手企業の数が少ないか，もしくは買い手の中に飛び抜けて大きな会社がある，ということである。実はここでもハーフィンダル指数が役に立つ。自分の業界についてハーフィンダル指数を計算したのと同じように，買い手の業界についても計算してみれば良いのである。買い手の業界のハーフィンダル指数が大きい＝買い手グループの集中度が高いということである。

たとえばハンバーガー業界にポテトを納品している商社に自分

表 5-7　日本国内ハンバーガー市場（1997 年度）

	会社名	市場シェア(%)	市場シェア(小数)	2乗
1	日本マクドナルド	57.9	0.579	0.33524
2	モスフードサービス	22.9	0.229	0.05244
3	ロッテリア	10.7	0.107	0.01145
4	ファーストキッチン	1.9	0.019	0.00036
5	ウェンコ・ジャパン	1.7	0.017	0.00029
6	ジェイビー	1.1	0.011	0.00012
7	バーガーキングジャパン	0.7	0.007	0.00005
8	明治サンテオレ	0.6	0.006	0.00004
9	フレッシュネスバーガー	0.5	0.005	0.00003
10	そ の 他	2.0	0.02	0.00040
	合　計	100.0	ハーフィンダル指数=0.40	

（出所）『日本経済新聞』（夕刊）1999 年 3 月 1 日，5 頁。

が勤めていると考えてみよう。ハンバーガー業界という買い手グループの集中度については表 5-7 に計算が示されている。この業界は日本マクドナルドが近年急速にシェアを高め，業界全体の約 6 割（57.9 パーセント）を占めるようになっている。ハーフィンダル指数を計算しても，約 0.4 である。この数字はカラーフィルム業界よりは低いが，ビール業界よりも高く，集中度が比較的高い業界であると判断されるであろう。実際，自分たちがフライド・ポテト用のポテトをこの業界に売ろうと考えたら，まず日本マクドナルドに買ってもらわないかぎり大きなビジネスに成長さ

表5-8 取引先集中度

	取　引　先	企業Ⅰの売上比率（％）	企業Ⅱの売上比率（％）
買い手側企業	取引先A社	75.0	35.0
	取引先B社	12.0	30.0
	取引先C社	11.0	20.0
	取引先D社	2.0	15.0
	合　計	100.0	100.0

せることは難しい。マックとモスとロッテリアの3社で90パーセント以上のシェアを占めてしまうのだから、この3社はわが社に対して非常に強力な交渉力をもつに違いない。

もうひとつの「買い手の購入量が売り手（わが社）の売上高に占める割合が大きい」というのは、表5-8のような場合を考えればすぐに分かるはずだ。この表には2つの売り手側企業（ⅠとⅡ）がそれぞれ買い手側企業（A, B, C, D）の4社にどの程度ずつ販売しているかを示している。売り手側企業Ⅰの売上高の構成を見ていくと、買い手側企業のA社に全売上高の75パーセントを依存している。これに対して企業ⅡはA社からD社まで納入先がほどほどに分散している。買い手側企業A社は、企業Ⅰに対しては強力な交渉力をもつであろうが、企業Ⅱに対してはそれほど強い交渉力をもたないことが予想される。なぜなら、企業ⅠはA社に買ってもらえなくなったら、売上高の75パーセント失なうからである。いわばA社は企業Ⅰの生殺与奪の権を握っているのである。

(2) **製品が標準化されていたり、差別化されていない。または スイッチング・コストがかからない。**

どこの供給業者から購入しても，同じ規格で同程度の品質のモノが手に入るのであれば，買い手の側はいろいろな供給業者の中から選択して購入することができる。また，スイッチング・コストがかからないのであれば，供給業者を変更しても買い手企業側にコストが発生しないのだから，いつでも自由に取引先を変更できる。この場合も，「これほど高い価格なら，他社の製品に切り替えますよ」という脅しがかけられる。

　たとえばパソコン・メーカーがパソコンに内蔵するハードディスクをハードディスク・メーカーから調達する場合を考えてみよう。パソコンの他の部分とハードディスクをつなぐ部分（インターフェース）の規格が決まっているので製品は標準化されており，しかもスイッチング・コストもかからない。その上もしどこの会社のハードディスクを購買しても大きさやスピード，容量，安定性などが変わらないのであれば，パソコン・メーカー側の交渉力が強くなるであろう。

(3) 買い手が後方統合するぞと脅す

　原材料→部品→最終商品→卸→小売店→最終顧客というモノづくりの流れのなかで，いま自分たちは最終商品を作っているメーカーだとしよう。この流れの川上（原材料→部品）を自分でやり始めるのを後方統合，この流れの川下（卸→小売店）を自分で手がけるようになるのを前方統合という。両方合わせて垂直統合という。

　「御社から購入するのを止めて，これからは自分の会社で作ります」などと買い手側の企業に言われたら大変な脅威であろう。値引きやサービス向上をせざるを得なくなり，買い手に利益を奪われてしまう。

後方統合とは言っても，全面的に内部調達に変更する必要はない。若干量の内部調達でも効果を期待できるのである。つまり，いつでも自社生産できる製造の実力を示し，しかも相手がどの程度のコストで生産しているのかを予測するコスト情報が得られるだけでも，十分に買い手の交渉力を高めることができるのだ。実際，ドライビール戦争のさなかに，アサヒビールはアルミ缶の製造を一部自社生産し始めた。これはアルミ缶メーカーにとっては脅威だったに違いない。アサヒは全面的にアルミ缶を内製し始めたわけではないけれども，「アルミ缶メーカーではおそらくこのくらいの原価で生産できているはずだ」といった情報をつかんでいるだけでも，価格交渉の場で随分買い手側（アサヒビール）の交渉力を高めることになるからである。

(4)　卸売業者や小売店がユーザーの意思決定を左右できる

　最終ユーザーがどのブランドを購入するのかという判断を自分で行なう場合もある。だが，何でも良いからMDが欲しいと思って小売店に行く場合もある。この後者の場合には，小売店の店頭でお店の人が「やっぱり松下の製品が良いですよ」と薦めると，そのまま松下の製品を買って帰る可能性が高い。こういう人が多い場合，最終的にどのブランドが売れるのかは最終消費者が決めているというよりも，小売店が決めていることになる。小売店が売行きを大幅に左右できるのであれば，メーカー（売り手側）よりも小売店（買い手側）の交渉力が強くなって当然であろう。

　また，卸が小売店の店頭に並ぶ商品を大幅に左右する力をもっていて，最終消費者がブランドを指名しないで，とにかく店頭に並んでいるものを買って帰るという行動をとるのであれば，卸がメーカーに対して強い交渉力をもつことになる。たとえばペット

ボトル入り麦茶が欲しいと思ってスーパーに行ったら、ペットボトルの麦茶はサントリーの「なごみ」しかなかった、というのであればそれを買って帰るお客さんは多いであろう。このとき、スーパーの店頭に何を並べるかというのを左右する力を卸がもっているのであれば、卸がメーカーに対して強い交渉力をもつであろう。

2. 買い手の価格センシティビティを高める要因

(1) 売り手（わが社）の製品の価格が、買い手の製品のコストに占める割合が大きい。

ある買い手側の会社が部品の調達をする場合をイメージしてみよう。このとき、買い手側の会社が作っている製品のコストが1万円だとしよう。そして、図 **5-4** に示されているように、この製品には部品代が7000円かかっていて、5000円の部品が1つと1000円の部品が1つ、100円の部品が10個であったとしよう。このとき、買い手がコストを削減しようと考えたなら、一番先に値引き交渉をしようとする相手は5000円の部品を納入している業者である。

高価だから目立つというのが1つめの理由、また、同じように5パーセントの値引き交渉に成功した場合に最もコスト・ダウン効果が大きいのがやはり一番高価な部品であるというのが2つめの理由である。5000円の部品を5パーセント値引きしてもらえば、250円もコストが削減できるが、100円の部品では5円にしかならない。それ故、この例ではまず5000円の部品が値引き交渉のターゲットとなり、次いで1000円の部品、最後に100円の部品という順序になるはずである。

図 5-4　部品調達の際の値引き交渉のターゲット

部品代合計　¥7,000

個々の部品

価格交渉の
ターゲット

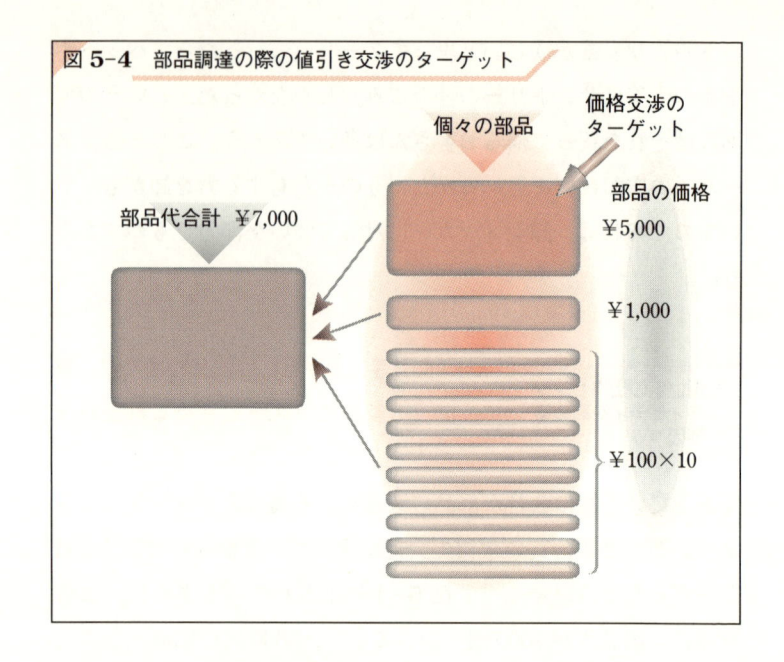

部品の価格

¥5,000

¥1,000

¥100×10

(2) **買い手の利益水準が低い。**

　儲かっている買い手は，ことさらコスト・ダウンを考えない可能性が高いが，儲かっていない買い手はコスト・ダウンに必死のはずである。だから利益があまり出ていない会社は値引き交渉をしてくる可能性が高いのである。

(3) **売り手（わが社）の供給している製品が買い手の製品の質に重要な差をもたらさない。**

　売り手が供給する部品や材料が，買い手の最終製品の品質を大幅に左右するようなキー・デバイスであれば，買い手企業も品質低下を恐れて値引きを要求しない可能性が高い。この場合は買い手よりも売り手の側が強い交渉力をもつであろう。しかし，それほど品質に影響を及ぼさないのなら，コスト・ダウンを目指した

ときに，一番先に値引き交渉の対象にリスト・アップされてしまう。

一見部品や材料のように見えないかもしれないが，テレビ局が仕入れているスポーツ番組はテレビ局が生産しているサービスの「部品」だと考えることができる。このとき，そのスポーツ番組の放送権の価格は，それを放送することで，どれほど多くの最終視聴者をつかめるかにかかっている。スポーツ番組はテレビ局の販売しているサービスの質を大きく左右する場合があるのだ。

買い手の交渉力が弱い方の例であるが，買い手＝衛星放送会社と，売り手＝イタリア・サッカー・リーグの交渉力を比較してみよう。サッカーの中田英寿選手が活躍しているイタリアのサッカー・リーグ「セリエA」の放送権は，いま立ち上がりつつある衛星放送会社の命運を握っているといって良いほど重要な「部品」である。実際，「セリエA」の1999年度から始まる3シーズン分の全試合を放送する権利をスカイパーフェクTV（日本デジタル放送サービス）が獲得したことで，スカイパーフェクTVへの加入者は急増している。同社が放送権を獲得したことが1999年8月に報道されると，8月に7万件，9月半ばまでの半月間で4万件の加入契約がとれた。スカイパーフェクTVが最終視聴者に販売する「製品」の質に「セリエA」の放送権という「部品」が重要な差をもたらしたのである。それ故，イタリア・サッカー・リーグという売り手は，日本の衛星放送会社に対して非常に強い交渉力をもつことが予想される。実際，放送権は1998年までの4倍に跳ね上がり，3年間で60億円程度であったと言われている。

以上の個々の要因について買い手の交渉力を分析して総合的な

判断を下したら，次は自分の会社＝買い手，部品などの供給業者＝売り手と考えて，供給業者の売り手交渉力を分析する。その判断を終えたら，最後に次に説明する代替品の脅威に関する分析に移ればよい。

5 代替品の脅威

何が代替品であるのか，というのを見極めるのは難しい。この世に存在するすべての製品は多かれ少なかれ相互依存しており，思いもしなかった製品の需要の伸びが自社製品の衰退につながっている，ということもある。この点については既に第1章のマーケティング・ミックスのところで注意しておいた。それ故，ここでは何が代替品かは分かっていると考えた上で，次の2つの特徴をもつ代替品には注意を払っておくべきだと示唆しておくにとどめておこう。

(1) **コスト・パフォーマンス比が急速に向上しているような代替品**

代替品の技術進歩が速く，同じような性能のものが急速に安くなっていったり，同じような価格でどんどん性能が上がっていっている，という場合には，自社製品の価格が急速に低下したり，あるいはまったく売れなくなったりする。それ故，このような代替品に直面している業界の利益ポテンシャルは急速に低下してしまうのである。

(2) **代替品の業界が高い利益をあげている場合**

代替品の業界が高い利益をあげているのであれば，いついかな

る時点で思い切った値引きを行なわないともかぎらない。急激な価格引き下げはこちらの業界の利益ポテンシャルを下げるばかりか，会社の存亡すら危うくするかもしれない。

こうして代替品の脅威を分析し，その脅威の大きさを評価したら，最後にもう一度全体を見渡す必要がある。既存企業間の対抗度，新規参入の脅威，買い手の交渉力，供給業者の交渉力，代替品の脅威という5つの競争要因を見渡して，その業界全体の利益ポテンシャルを総合的に判断すればよい。これが業界の構造分析の基本的な分析手順である。

6 おわりに

● 4つの注意点

最後に4つほど注意点を述べておく。

まず第1に，くれぐれも本章で説明された諸要因のすべてを暗記しようなどと思わないことである。重要なことは，これら5つの要因が最終的に業界の利益ポテンシャルを決めているという基本的な論理構造である。つまり図5-1が基本なのだ。この基本論理さえ覚えておけば，あとはそのつど，この本のリストにそって自分の業界を分析していけばよい。本章にあげられた要因群はチェック・リストとして用いれば良いので，ひとつひとつの要因について，その意味を理解する必要はあるが，細かい要因のすべてを暗記する必要などないのである。

第2に，5つの競争要因を細目にわたって評価する場合も，また5つの総合的な効果を評価する場合も，足し算をしないで欲しいということにも注意しなければならない。たとえば既存企業間

の対抗度は，さらに細かい要因として8項目に分かれている。この8項目のうち，利益ポテンシャルを高める方向に働いている要因は2つで，低める方向に作用している要因が6つであったとしよう。このとき，(+6)+(−2)=(+4) という計算をして，「利益ポテンシャルを高める要因の数の方が多いから既存企業間の対抗度は利益ポテンシャルを高める方向に作用している」などといった判断をしてはいけない，ということである。たとえば産業の成長率がきわめて高い場合には，生産能力の小刻みな拡大が可能かどうかとか，固定費が大きいかどうかなどは，重要な要因でない，ということはしばしばある。単純に数を数えるのではなく，どれが最も重要な要因なのかを考え，総合的な判断をしなければならない。この総合的な判断ができるようになるには，本書を読んだだけでは十分ではなく，実体験も含めて，ビジネスのロジックをもっといろいろ学ばなければならないであろう。

　第3に，業界の構造分析によって，どの業界が儲かるかが分かると同時に，どこをいじれば自分たちは利益が出せるようになるかが分かるはずだ，という点にも注意を促しておきたい。利益の出そうな業界を選ぶのも戦略だが，利益の出にくい業界で競争要因を主体的に変革することで儲かる仕組みを創造するのも戦略である。たとえば鮮度がすぐに落ちる商品は在庫費用がかかるからといってあきらめるのではなく，その鮮度をより長時間維持するためにはどうすれば良いかと考えることも必要である。実際，チルド配送の仕組みを作ってニワトリのタマゴの鮮度を長持ちさせる仕組みを作った会社や，豆腐の賞味期限を延長することでスーパー閉店前の安売りを回避している豆腐メーカーもある。構造的な要因を明らかにする作業は，そのビジネスをあきらめるためというよ

りも，それを打破するイノベーションを考え出すためにあるのだ。

　第4番目の注意点は，業界の構造分析が実際にメリットをもっているということである。この手法は煩雑(はんざつ)に見えるかもしれないが，通常のマーケティング戦略の議論では見えてこないものを教えてくれるのである。マーケティング・ミックスとターゲット市場がフィットしていれば，たしかに同業他社よりも自社の方が成功する確率を高めるだろうが，業界全体がどれほどうまくやっても儲からない構造になっている，という場合には4つのPの分析は何も示唆してくれない。だから煩雑でも，ひとつひとつの要因をチェックしていくという作業をまじめにやる意味があるのだ。

第6章 全社戦略

　第5章では社外の環境について徐々に視野を広げるべく業界の構造分析を紹介したが，ここでは社内に目を向けて視野を広げることにしよう。

　自分の扱っている商品と自分の事業との関係，さらにはもっと広く自分の属している事業と会社全体との関係を考えてみるのである。

　具体的には，多様な事業分野をもつ多角化した大企業を経営するための手法として開発されたプロダクト・ポートフォリオ・マネジメント（PPM）の考え方をここで理解しておくことにしよう。もともとは多数の事業分野の調整によって全社の利益と成長をバランス良く達成するための手法だが，この考え方自体は《全体と部分》という関係があればどのような場合にも使える，たいへん便利なものである。つまり，全社と自分の事業という関係ばかり

でなく，事業部とその中の自分の担当製品領域という関係でも，あるいは自分の担当地域全体とその中の部分という関係でも，同じ論理を当てはめて考えることができるのである。

　たとえば，あなたがベビー服の販売に関して横浜市全体を任されていると考えてみてほしい。この場合，横浜市を磯子区や青葉区などに分けてみることができる。たとえば，まだ成長している青葉区のベビー服市場では自社ブランドの競争力が十分ではないが，既に成熟している磯子区では非常に強い競争力をもって利益を稼ぎ出している，という状況であれば，PPMの発想法が役に立つに違いない。磯子区であげた利益を青葉区に集中投入せよ，というのがPPMの教えるところだからである。あるいは，あなたが1箱100円のチョコレートを同じ横浜市に販売していると想定してみてほしい。このとき，チャネル別に分けてみて，イトーヨーカ堂やダイエーなどのスーパーでは十分なシェルフ・スペースを確保しているけれども，まだセブン－イレブンやローソンなどのコンビニでは十分ではない，という状況もあり得るだろう。ここでも部分と全体に問題が分かれ，その関係さえあればPPMの発想法・思考法が役に立つはずである。

1　高度に多角化した企業の経営

　人間の頭はそれほど情報処理能力はない。7桁だった電話番号が8桁に変わるとなかなか暗記できなくなる。2人が幸せになる方法は何とか見つけられるが，3人になると一気に難しくなる。ラガーとドライのどちらが好きかを決めることは簡単だが，ラガ

ーとドライ，モルツ，一番搾り，エビス，黒ラベル，ハイネケン，バドワイザーなどなど20種類ぐらいのビールを味見して1番から20番まで好きな順位をつけるのは大変だ。

　企業の経営も同じことである。製品が1種類とか2種類でも，色々考えなければならないことが多いというのに，100種類とか1000種類もの製品を目の前にしたら，どんなに頭のいい人間でも1人ですべてを把握できるものではない。ちなみに大きな会社なら，製品を細かい種類に分けていくと，あっという間に何万種類になってしまう。たとえばポスト・イットやスコッチテープで有名なスリーエム（3M）社の製品は数万種類もある。

　こういった多数の製品を扱っている企業を経営するにはどうしたらいいのだろうか。おそらく誰でも気がつく解決策は，会社全体をいくつかの事業部に分けて，独立採算制を導入することであろう。そうすれば，どの事業部で利益が出ていて，どの事業部が赤字かは一目瞭然であるし，各事業部は赤字を出さないように必死になって頑張るだろう。かつて松下電器産業が採用していた製品分野別の事業部制と独立採算制は非常に厳格なものだった。各事業部には売上高経常利益率10パーセントという基準が課され，達成できないと他の事業部長の目の前で松下幸之助にどやされたと言われている。ある事業部で稼いだ利益を他の事業部にもっていくことはしなかったから，事業部長は自分が社長のつもりで，倒産しないように必死になっていた。たしかにこれもひとつのやり方だろう。

　しかしこのようなやり方が本当に機能したのは，おそらく，日本のエレクトロニクス業界のあらゆる事業分野が成長していた時期のことであろう。すべての事業分野が成長しているのであれば，

すべての事業部が必死に努力することと，会社全体の業績が高まることが両立する可能性がある。しかし同じエレクトロニクス業界の中でも，成長分野もあれば衰退分野もあるといった状況の下ではこのやり方には問題が出てくる。つまり，①カネのない事業部には成長機会があり（＝市場成長率が高い），②カネのある事業部には成長機会が無い（＝市場成長率が低い）という場合には，会社全体としてみると，もっと成長できる可能性が残されているからである。このような問題に対する1つの答えとして生まれ，1970年代に一世を風靡したのがボストン・コンサルティング・グループ（BCG）のPPMという手法である。

2 PPM

PPMは図6-1に見られるように，市場成長率と市場シェアの2次元で個々の事業単位を位置付け，カネ（キャッシュ）の流れをコントロールして会社全体として適切な利益と成長を達成するための方法である。PPMでは，このキャッシュ（現金）がどこで生み出され，どこで必要になるかということが唯一最大の関心事である。この点を常に念頭に置きながら，以下の注意するべきポイントを読み進めて欲しい。

> 1. 3つの情報：市場シェア，市場成長率，売上規模

この図には3つの情報が盛り込まれる。

まず第1に，横軸は市場シェアを表わしている。左側にいくほど市場シェアが大きく，右側ほど小さいように描かれる。PPMでは通常，相対

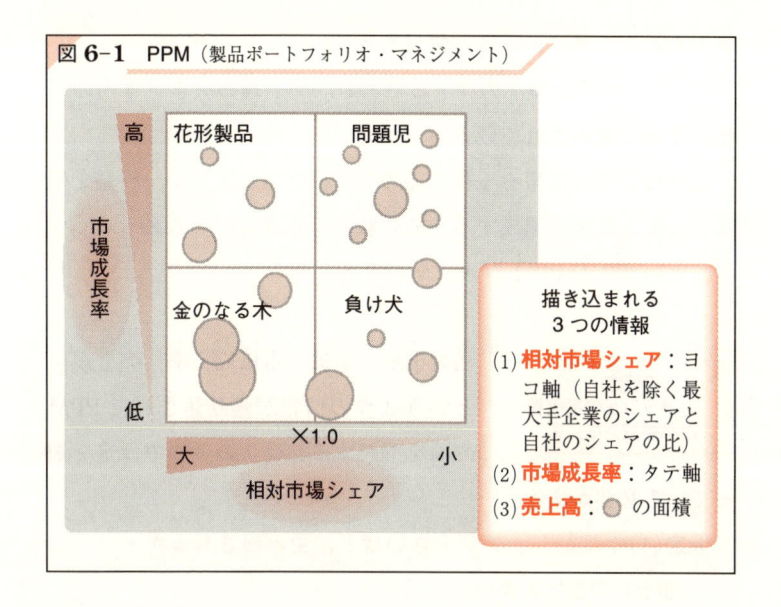

図 6-1　PPM（製品ポートフォリオ・マネジメント）

```
      高 ┌─────────────┬─────────────┐
         │ 花形製品     │ 問題児       │
市        │              │              │
場        │              │              │
成        ├─────────────┼─────────────┤
長        │ 金のなる木   │ 負け犬       │
率        │              │              │
      低 └─────────────┴─────────────┘
             大    ×1.0       小
                 相対市場シェア
```

描き込まれる3つの情報
(1) **相対市場シェア**：ヨコ軸（自社を除く最大手企業のシェアと自社のシェアの比）
(2) **市場成長率**：タテ軸
(3) **売上高**：◯の面積

市場シェアが使われる。相対市場シェアというのは，自社を除く業界他社のうち最大手と自社のシェア比である。つまり自社が業界1位で30パーセントのシェアを持ち，2位の企業が20パーセントのシェアを持っていたら，自社の相対シェアは1.5になる。また，逆にこの業界2位の企業の立場に立ってみれば，相対シェアは2/3（約0.67）である。ここで相対シェアという珍しいシェアの計算の仕方をするのは，その方が他社と比較して自社がコスト面で優位にあるか劣位にあるかはっきりするからである。普通の市場シェアの計算では，自社に30パーセントの市場シェアがあっても，自分の会社が業界1位なのか2位なのか判断できない。45パーセントのシェアをもつ企業があれば，たとえ30パーセントのシェアをもっていても首位ではないからである。

　2つめの情報は縦軸の**市場成長率**である。上が市場成長率の高

第6章　全社戦略

い方を示し，下にいくほど成長率は低い。

3つめの情報は製品の売上高である。売上高の大きさは円の面積によって表わされている。

これら3つの情報を1枚の絵の中に描き込むことで，利益を確保したまま成長も達成するための戦略の基本方針を考えやすくする，というのがPPMのメリットである。

2. 3つの仮定：キャッシュの産出量と必要量，成長率

相対市場シェアと市場成長率，売上規模という3つの情報が盛り込まれたPPMの図を解読するには次の3つの仮定を知っている必要がある。

仮定(1)：相対シェアが大きいほど，生み出されるキャッシュ（現金）の量は大きい。

相対シェアが大きいということは，他社よりも多くの経験効果を蓄積していて，他社よりも低いコストで製品を生産できる，ということを意味している。業界内の価格が一定であれば，他社よりも低いコストで生産できる自社事業は高い利益率を達成しているはずである。だから，図の左側に位置する事業の方が右側に位置する事業よりも生み出すキャッシュが多い。

仮定(2)：売上げを増大するためには，生産設備の追加や運転資金の追加が必要である。だから，売上増大のためにはキャッシュが必要である。したがって，

仮定(2)-(a)：タテ軸の上の方に位置する事業ほどキャッシュを必要とする。

成長率の高い業界に属している事業は，業界の成長と同じ成長率を達成するだけでも設備投資や運転資本の追加が

図 6-2　PPM を解読するための仮定

	(3)
花形製品	問題児
(2)-(a) ←	(2)-(b)
金のなる木 (1)	負け犬

縦軸：市場成長率（高→低）
横軸：相対市場シェア（大→小）

(1) 相対シェアが大きいほど、生み出されるキャッシュが多い。
(2) 売上げを増大するためには、生産設備の追加や運転資金の追加が必要である。
　(a) タテ軸の上の方に位置する事業ほどキャッシュを必要とする。
　(b) ヨコ軸を左に移動するにはキャッシュが必要である。
(3) 成長率は自然に低下していく。

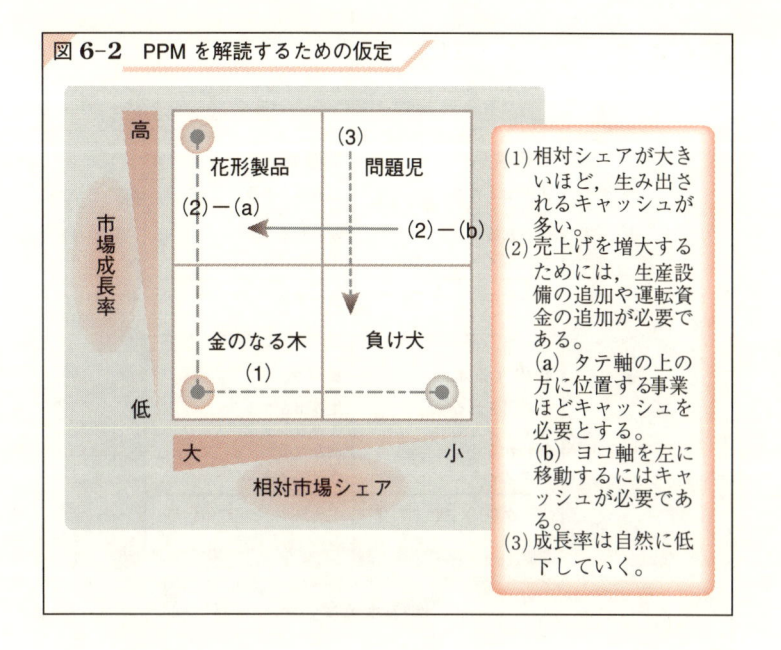

必要である。

仮定(2)-(b)：横軸を左に移動するにはキャッシュが必要。

　市場成長率いかんにかかわらず、市場シェアを獲得するには通常、プロモーションや値引きなどにカネがかかる。新規の顧客を開拓したり、他社の顧客を奪ったり、生産設備を大きくしたりするのだから、当然であろう。

仮定(3)：成長率は自然に低下していく。

　製品ライフサイクルの議論が正しいとすれば、いつかは事業は成熟期に達する。だから、企業がどういう手を打とうと、図 6-1 の中の円は時と共にいつかは下に下がっていくはずである。

図 6-3　各セルのキャッシュ状況

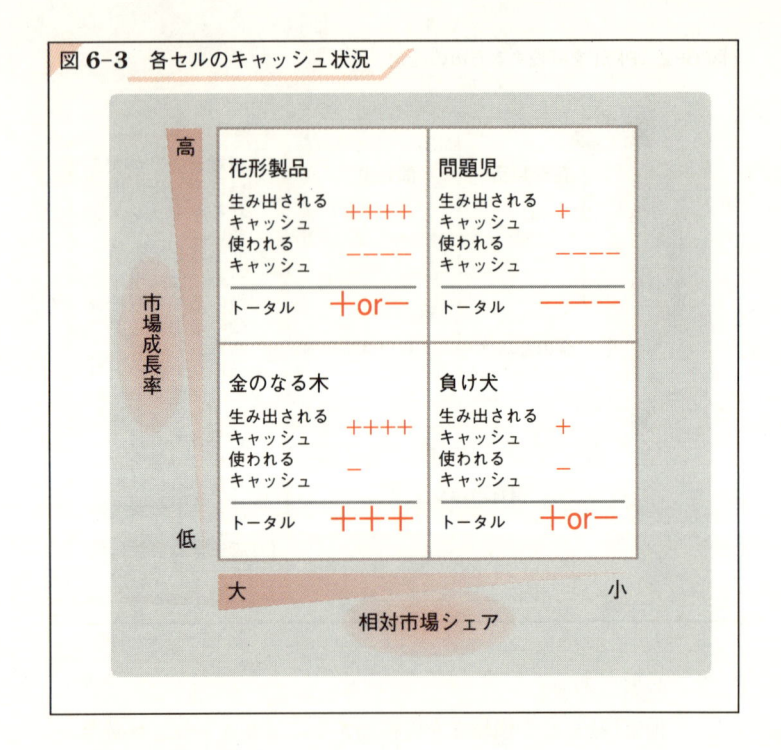

	大　←　相対市場シェア　→　小	
高 ↑ 市場成長率 ↓ **低**	**花形製品** 生み出される キャッシュ　++++ 使われる キャッシュ　－－－－ トータル　＋or－	**問題児** 生み出される キャッシュ　＋ 使われる キャッシュ　－－－－ トータル　－－－
	金のなる木 生み出される キャッシュ　++++ 使われる キャッシュ　－ トータル　+++	**負け犬** 生み出される キャッシュ　＋ 使われる キャッシュ　－ トータル　＋or－

3. 各セルの特徴

　以上のように考えれば，PPMの4つのセルのキャッシュ状況は図6-3のようになるはずである。まず，右上のセルでは市場成長率が高いので市場と同じスピードで成長するためにも多額の投資が必要である。しかし，他社に比べるとコストが高いのであまり多くのキャッシュを生み出していない。したがって使用するキャッシュと生み出すキャッシュを差引きすると大幅なマイナスである。左上のセルでは，成長のために多額のキャッシュを必要とするが，他社よりも低コストで生産できるので生み出されるキャッシュも多い。そのため，このセルの事業はキャッシュがプラスであったとしても

大幅なプラスではなく，マイナスであったとしても大幅なマイナスではない。左下のセルは成長率が低いので，もはや追加投資はさほど必要ない。しかも他社と較べて低いコストで生産できるので，大量のキャッシュを生み出すことが出来る。右下のセルはキャッシュを使いもしないし，生み出しもしないので，大きなマイナスにも大きなプラスにもならない。

　これら4つのセルには，それぞれの特徴に合わせて名前が付いている。右上のセルは成長性が高い業界であり，その意味では魅力的な事業領域であるにもかかわらず，自社の市場シェアが低く，キャッシュを食うので，問題児と呼ばれる。左上の事業は，このまま順調に育てば将来大量のキャッシュを生み出す事業になりうるので花形製品と呼ばれる。左下の事業は大量のキャッシュを今現在生み出しているので金のなる木，右下の事業は既に勝負のついてしまった業界でトップになれなかった事業であるから負け犬と呼ばれる。

3　キャッシュ・フローのマネジメント

　各セルのキャッシュ状況がほぼ把握できたら，次はそのキャッシュをどのように管理するかという問題を考えなければならない。ここで3つのマネジメント・スタイルを想定して，個々のスタイルを採用すると会社が将来どのようになっていくのか，というシナリオを描いてみよう（図6-4）。

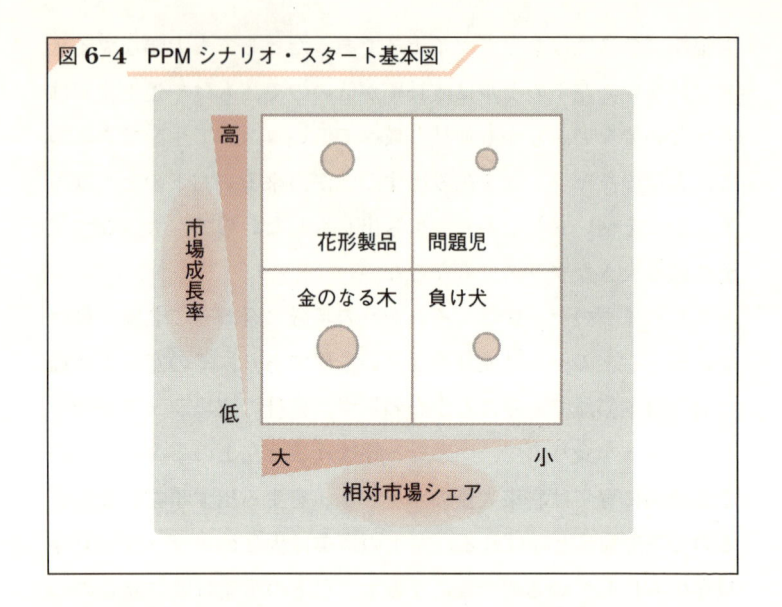

図 6-4 PPM シナリオ・スタート基本図

	花形製品	問題児
市場成長率 高〜低	金のなる木	負け犬

相対市場シェア 大〜小

1. 厳格な独立採算制のシナリオ

まず，厳格な独立採算制をしいた場合のシナリオを考えてみよう。厳格な独立採算制というのは，個々の事業部がひとつずつ会社のようになっている場合を想定すればよい。つまり，ひとつの事業が稼いだおカネは，たとえ同じ会社内であっても，他の事業に回すことはしない，というマネジメント・スタイルである。一つひとつの事業は自ら稼いだキャッシュをそれぞれ自らの事業領域内で次の投資に回すのである。

このような場合には，時の経過と共に図 6-5 のような状態になると考えられる。説明しよう。花形製品と負け犬はキャッシュのプラス・マイナスがほぼゼロだから，時の経過と共に事業が成熟し，まっすぐ下に降りてくるだろう。もちろん花形製品は市場成長率が高いのだから，市場と同じように成長すれば売上高は増

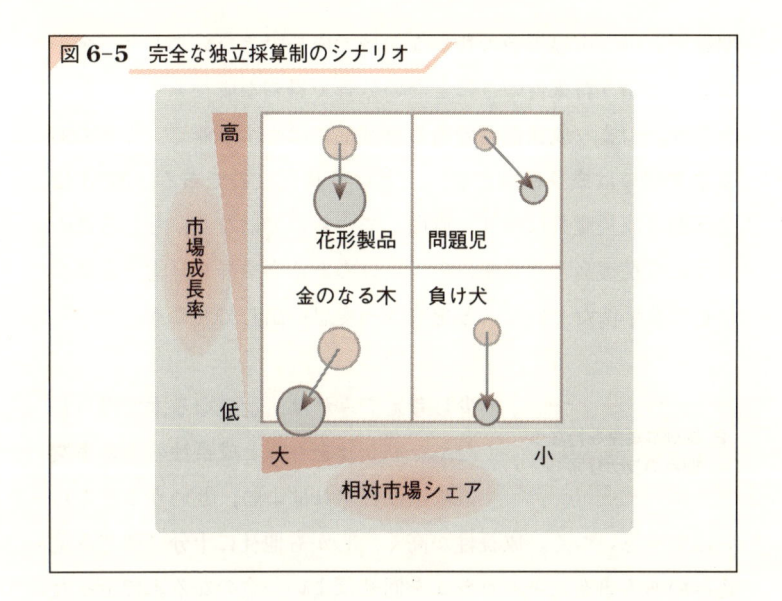

図 6-5 完全な独立採算制のシナリオ

　　　　　　　　　　　　　　　　　　高
　　　　　　　　┌─────────┬─────────┐
　　　　　　　　│　花形製品　│　問題児　│
　　　市場成長率　│　　　　　│　　　　　│
　　　　　　　　├─────────┼─────────┤
　　　　　　　　│金のなる木　│　負け犬　│
　　　　　　　　│　　　　　│　　　　　│
　　　　　　　　└─────────┴─────────┘
　　　　　　　　低
　　　　　　　　　大　　　　　　　　　小
　　　　　　　　　　　相対市場シェア

大し，円の面積が大きくなっているだろう。負け犬は市場成長率が低いのだから，市場の成長と歩調を合わせていれば，ほとんど円の面積も広がらないはずである。

　金のなる木は業界が低成長なわりには投資するべきキャッシュを大量に持っているから，今まで以上にシェアを高め，左斜め下の方向に移動し，円の面積を少し拡大するであろう。ここで，円の面積が少ししか拡大しないのは，金のなる木の事業分野の成長率が低いためである。成長率の低い業界では他社も必死で反撃するであろうから，投資に見合った売上アップは難しいのである。問題児はキャッシュがマイナスだから，市場の成長率に合わせて成長することができず，右斜め下の方向に円の面積を若干拡大しながら移動するだろう。

　このようなマネジメント・スタイルを採用した場合の問題は，

第 6 章　全社戦略

問題児という市場機会の豊かな領域で成長できないことと，金の成る木という将来性のさほどない分野で過剰な成長をすることであろう。つまり成長機会のある事業部にはカネが無く，カネのある事業部には成長機会がない，という状況なのである。PPMは全面的に成長産業ばかりに直面しているのではなく，むしろこのように成長機会と利益率にデコボコのある事業群を経営する場合に必要な手法だということをもう一度思い出しておこう。

2. 単純な調整を行なう場合のシナリオ

少し考えてみれば，金のなる木で得られたキャッシュをもっと成長性の高い事業領域に投資すればよい，ということぐらい誰でも思いつく。成長性が高く，しかも他社に十分に勝てる見込みのある事業にキャッシュを回せばよい。金のなる木で余ったキャッシュを花形製品に投資し，より強固な地位を築かせるのである。このようなマネジメントを行なうと，おそらく図6-6のようなシナリオが描かれるであろう。こうすれば，金のなる木はほぼまっすぐ下に降りていき，円の面積もほぼ変わらない。その分だけ将来，金のなる木になるはずの花形製品はやや左斜め下側に移動し，独立採算のケースよりも円の面積を大きくすることができるであろう。

このような単純素朴な調整によっても，厳格な独立採算制を採用した場合よりも企業全体としての成長性を高めることが可能である。しかし，もっと成長することが可能である，とPPMを知っている人は考えるはずである。

図6-6 単純な調整のシナリオ

市場成長率（高→低）
相対市場シェア（高→低）

花形製品　問題児
金のなる木　負け犬

キャッシュ

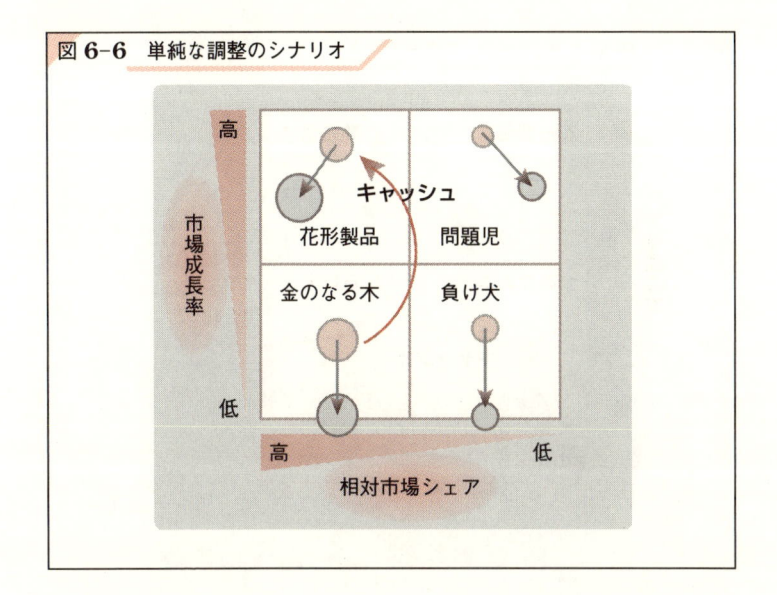

3. PPMの最適キャッシュ・フロー

PPMによれば企業全体としての最適なキャッシュ・フローのマネジメントは、〈金のなる木で得られたキャッシュ〉＋〈負け犬を売却して得たキャッシュ〉を特定の問題児事業に集中的に投資し、その問題児事業を花形製品へと育成することである。

ここでのポイントは2つある。ひとつは金のなる木から問題児へのキャッシュ・フローであり、もうひとつは集中的な投資を行なうべき問題児の選別である。企業の保有する問題児事業が1つだけだということはまれである。通常はいくつもの問題児事業を抱えている。そのすべてに金のなる木から生まれたキャッシュを分散して投資するのではなく、特定の問題児事業を選び、その問題児事業に集中的にキャッシュを投資するのである。

このようなキャッシュ・フローのマネジメントを行なうと、図

図 6-7　PPM キャッシュ・フローのマネジメントのシナリオ

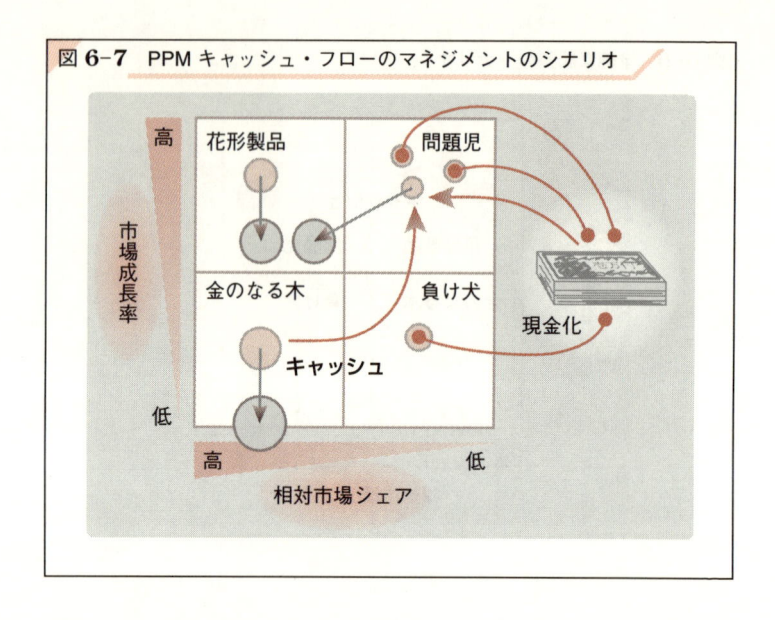

6-7のようなシナリオを描くことができるであろう。すなわち，花形製品は業界成長率と歩調を合わせて成長し，円の面積の拡大をしながら真下に降下する。金のなる木から潤沢なキャッシュの投入を受けた問題児は，業界の高い成長率の下でシェアを伸ばすのだから大幅に売上げを増大させて円の面積を大きくしながら左下に移動する。ここで問題児から花形製品に成長していく際に，若干斜め下に向かっているのは，市場シェアを高めていく間に時間が流れていて，その間に徐々に市場成長率が低下しているはずだ，と考えられるからである。普通は1年程度で市場シェア・トップになる，ということは考えにくいのだ。2～3年かけてここまで大きく育てることができれば，この新たな花形製品は時の経過と共に金のなる木となり，次の問題児育成のためのキャッシュを生み出すようになるであろう。負け犬については売却するか，

もしくは投資を抑えてキャッシュ創出を最大化するかを選ばなくてはならない。これによって獲得されたキャッシュもまた問題児事業に投入される。したがって，負け犬はこの図から除去されるか，もしくは右下に円の面積を小さくしながら移動する。金のなる木は，その地位を維持するのに必要な投資のみを行ない，真っ直ぐ下に降下させていく。

　こうすれば，独立採算のシナリオや単純素朴な調整のシナリオよりも成長性と利益率のバランスが良くなるはずである。これがPPMの教えである。

4　事業単位ごとの戦略指針

　以上のような最適キャッシュ・フローに合わせて，個々の事業の戦略指針が決定される。PPMで考えられている各事業単位ごとの戦略指針は次の4つである（図6-8）。

1. 4つの指針

(1)　**構築せよ（build）＝シェア拡大**
　問題児の中には花形製品へと育成する候補として有望な魅力のある事業がある。これには金のなる木からキャッシュを集中的に投資してシェア拡大をさせる。また，花形製品の中には，シェアがナンバーワンであっても，まだ僅差のナンバーワンであるような事業もあるだろう。そのような事業についてはさらなるシェア拡大を行なって，圧倒的に強い事業に育てる必要がある。したがって，有望な問題児と若干弱めの花形製品に対して構築せよという戦略指針が与えられる。

(2) **維持せよ（hold）＝シェア維持**

既に強力な市場地位をもつ花形製品はこれ以上市場シェアを拡大する必要はない。また，まだまだ衰退期に入りそうにない金のなる木も，安定した市場地位を維持するための投資を行なって金のなる木として生かしておきたい。これらの事業に関しては市場シェアを維持せよという戦略指針が与えられる。

(3) **収穫せよ（harvest）＝徐々に撤退して，キャッシュ創出を最大化**

既に衰退期に入ってしまった業界なら，たとえ金のなる木といえども，もはや市場地位を維持するための投資すらひかえても良いかもしれない。投資を抑えて，現状の設備のままで出来るだけ大量のキャッシュを生み出させる，というのが適切な場合がある。また，負け犬事業の中には，業界が衰退期に入っていて，しかも業界2位や3位程度であればほどほどの利益を生み出してくれるものもある。このような事業についても，投資をひかえて現有設備のまま出来るだけ多くのキャッシュを生み出させるようにすれば，その分だけ問題児事業に投資できる。だから，比較的市場地位の高い負け犬事業にも収穫せよという戦略指針が与えられる。

(4) **資金回収せよ（withdraw）＝できるだけ早く売却あるいは清算**

問題児事業の中でも弱い市場地位にある事業や，投資先としてあまり魅力的ではないような事業は，なるべく早くポートフォリオから除去してしまった方が金の使い方としては効率が高まる。また負け犬事業のうち，市場地位が非常に低くて赤字が続くような事業なども，できるだけ早く売却あるいは清算して運転資金を回さないようにした方がいいだろう。これらの事業には資金回収

図 6-8 事業単位ごとの戦略ミッション

	高 相対市場シェア 低
市場成長率 高／低	花形製品 ／ 問題児 ／ 金のなる木 ／ 負け犬

- 構築せよ Build ＝シェア拡大
- 資金回収せよ Withdraw ＝できるだけ早く売却 or 清算
- 収穫せよ Harvest ＝徐々に撤退して，キャッシュ創出を最大化
- 維持せよ Hold ＝シェア維持

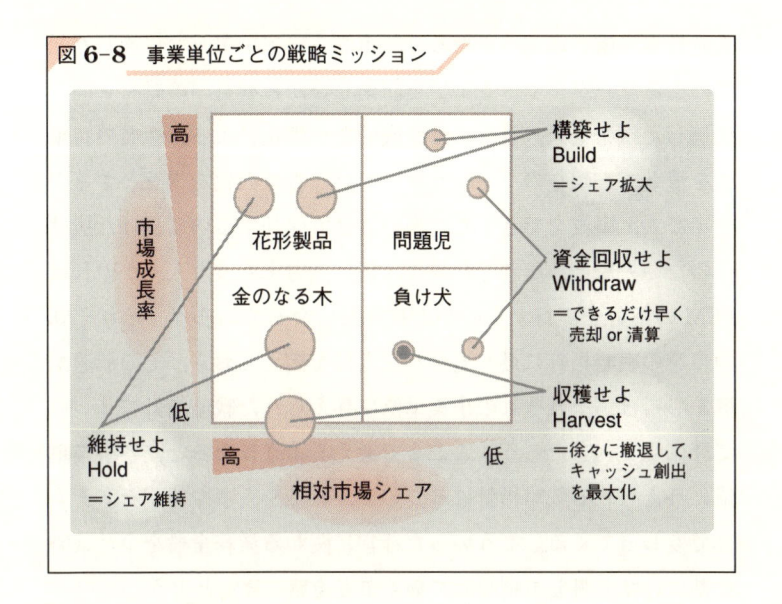

せよという戦略指針が与えられる。

2. 戦略経営へ

　　これらの戦略指針を与えられた各事業単位は，それぞれの与えられた戦略指針に基づいて評価されるべきだ，という点については注意が必要であろう。つまり，《構築せよ》という戦略指針を与えられた事業単位は売上成長率やシェアの伸び率で評価されるべきであって，利益率で評価されるべきではない。また，《資金回収せよ》という戦略指針に基づいて行動している事業単位は，売却のタイミングの良さや，それによって得られたキャッシュの大きさで評価されるべきであって，利益率やシェアの伸び率などで評価されるべきではない。当然のことだ。

　さらにこれらの戦略指針に合わせて事業単位の統括責任者の個

第6章 全社戦略

人特性も考慮されるべきだろう。市場シェア・アップに適した元気の出るリーダーや、シェアを防衛しながら利益率の維持・向上に適した緻密な人、さらには徹底的な合理化によって事業の将来性を潰しても現在のキャッシュ・フローの最大化を得意とするドライな人、事業をできるだけ高い価格で売却するのに長けた抜け目のない人など、それぞれ違う人格と能力をもった人々がいれば、PPMの指針を実行するのがより容易になるであろう。それぞれの事業の戦略指針に最も適合した人材を揃えておき、その最適配置を心掛け、それぞれの事業単位に与えられた戦略指針に基づいて評価するべきだろう。ここまで考えるようになると、各事業単位に与えられる戦略指針に基づいて、組織や人事や報酬システムまで変わってくる。こういった経営に関わる業務全般を全社戦略に基づいて一貫して構築していくことを**戦略経営**と言う。

5 若干の注意事項

1. PPMについての2つの注意点

PPMの論理は単純であり、そこから引き出される示唆は明確である。しかしながらPPMからこのような明確な示唆を間違わずに引き出すためには、この分析の初めの段階に非常に重要な作業を行なう必要がある。その作業とは、ひとつひとつの事業分野を分類し、まとめる作業である。PPMの図に描かれる円は、何らかの事業を表わしている。しかしこの事業は既存の事業部であるとは限らない。むしろ日本の事業部制の下では、行きがかり上、関係ない製品も同じ事業部にまとめられていることが多

い。PPMの円を描くには，まず，独立して戦略を立てられるような事業単位に会社の事業分野を分類し直す必要がある。このように独立して戦略を立案することができる事業単位を**戦略事業単位（ストラテジック・ビジネス・ユニット，SBU）**という。このSBUのまとめ方次第でPPMから得られる結論はガラリと変わってしまう。

たとえば物理的には同じパーソナル・コンピュータという製品であっても，オフィス・オートメーション・システムを構成する1製品として扱う場合と，個人向けに1台ずつ販売する事業として捉える場合とでは，市場成長率も異なれば，自社の相対市場シェアも異なる。したがって今までパソコンは問題児に位置付けていたが，モノの見方を変えることで花形製品に位置付けられるといったことが起こり得るのである。自社の製品分野を分類し，事業を定義するという初めのステップが際立って重要なのである。

もうひとつの留意点は，PPM自体はもともと多角化した大規模企業の戦略策定のために考案された戦略の手法であるが，PPMで用いられている考え方は企業内のさまざまなレベルに応用が可能だということである。既に本章の初めにも触れたように，PPMの考え方は《全体－部分》という関係が存在する所であれば，どのような所でも応用できるのである。たとえば，《日本経済－個別の業界》という関係にも応用可能であるし，《製品ライン－製品アイテム》や《製品アイテム－各地域市場》という関係にも適用できる。産業政策の立案者であれば現在「金のなる木」となっている業界から得た税金を次世代の「問題児」業界に投入しようと考えるであろうし，事業部長は「金のなる木」製品から得たキャッシュを「問題児」製品へ，特定製品の販売担当者は

「金のなる木」地域から獲得されたキャッシュを「問題児」地域へ投入しようと考えるであろう。どのようなレベルにも，そのレベルで考える必要のある全体と部分があるのである。

2. PPMの2つのデメリット

PPMのデメリットを2つ指摘しておこう。まず第1にPPMが基本的に考えている経営資源はキャッシュ（金）のみである，という点である。ヒトという資源に関していえば，必ずしもPPMの金のなる木でヒトが育っているとは限らない。かえって一番辛い負け犬や問題児の領域でこそヒトが育っているかもしれない。あるいは，勝つことと成長することの楽しさを共に学べる花形製品がヒトを育てるのに適しているかもしれない。したがってヒトを育成するというような観点に立てば，必ずしもPPMのいうようなキャッシュの流し方が正しいとは限らない。

第2に，日本企業でこの手法を採用すると，事業の売却が難しいとか，金のなる木の事業を実行している人たちのやる気が減退するなどの問題がある。外国企業を頻繁に買収している日本企業も，日本国内では企業間の事業売買を活発には行なっていない。株式市場の問題や終身雇用制があるために，自由に個別の事業分野を売買するのは難しいのである。最近では旭化成が冷凍食品事業を日本たばこに売却するといった例も出てきてはいるが，それでもその事業分野の雇用を維持することを約束した上での取引だったと言われている。雇用の問題を気にしないで自由に事業を売買するというようなことが出来ないかぎり，負け犬事業や問題児事業の資金回収せよという戦略指針は絵空事である。その意味では，日本企業にとって必ずしもPPMの議論はそのまま受け容れ

られるようなものではない。

　また，金のなる木の事業単位で働いている人から問題児事業を見れば，「自分たちが汗水たらして稼いだカネを湯水のようにつかいやがって」という気持ちがわいてきても仕方があるまい。逆に問題児事業の人々からすれば，「金のなる木事業の人々は何と楽な商売しているのだろう」という気持ちをもつかもしれない。長期にわたってこのような状況が続けば，企業全体としては社員のやる気は随分減退してしまう可能性がある。

3. PPMの2つのメリット

　だがPPMには数々のメリットもある。ここでは2点ほどを指摘しておくにとどめよう。まず第1に，PPMの考え方は**選択的投資**を奨励していることである。選択的投資とは，あらゆる分野にキャッシュをばらまくのではなく，特定の分野に集中して資金を投入するということである。どのような企業にとっても，動員できる経営資源には限界がある。カネが余っていても，ヒトが足りないとか，ヒトは十分だがカネはまったくない，などという状態が通常である。ヒト・モノ・カネといった経営資源に限りがあるのだとすれば，何かの分野を諦めて，これはという分野に集中的に経営資源を投入した方がよい。集中を欠いたために，結局どの事業も育たなかったという事例は歴史上数多く存在する。PPMは，企業全体として高い成長率と利益率を保ち続けるためには何かを切り捨て，何かに集中することが重要であることをわれわれに教えるとともに，切り捨てるべき分野がどこであるかを示唆してくれる。ひとつひとつの事業分野の立場に立てば，すべての事業が大切である。しかしすべての領域で努力をすることが

全体にとってもよい結果をもたらすとは限らない。すべてが大切に思える時に，それでも何かを切り捨てなければならない，という難しい状況下で，少なくともひとつの選択基準を与えてくれるという点でPPMは優れていると評価せざるをえない。バブル崩壊後の日本経済では，しばしば企業のトップが選択と集中という言葉を強調している。これは実は特別新しい考え方ではなく，既にPPMが1970年代から指摘してきた論理そのものなのである。

第2に，PPMは長期志向の強い手法だという点も評価できる。PPMによれば長期的な成長性を維持するためには，選択するべき問題児事業が常に複数存在する必要がある。健全な成長を続けるためには，成長性は高いけれども，カネ食い虫だといわれるような事業をもっていなければならないのである。いわゆる「健全な赤字部門」の積極的な意味をPPMは論理的に説明できるのである。

第7章 事業とドメインの定義

1 事業定義・ドメイン定義の重要性

1. 事業の定義

自分たちの携わっている事業は、いったいどのような事業なのか。誰に対して、どのような製品・サービスを供給しているのか。そもそも何のために、何を目指して仕事をしているのか。これらの問題に対する答えが事業の定義である。たとえば鉄鋼メーカーの社員に、「貴方の会社は何の会社ですか」と問いかけたなら、「鉄鋼を生産・販売する会社です」という答えが返ってくるかもしれないし、「総合素材メーカーです」という答えが返ってくるかもしれない。IBMの社員に同様の質問をすれば、おそらく「顧客の問題解決

を支援するサービスこそわが社の提供しているものです」という答えが返ってくるであろう。また資生堂の社員に「御社は何を売っているのですか」と聞いたら,「美と健康」と答えるかもしれない。

　事業の定義は重要なものなので,いろいろな学者が事業の定義の異なる側面に注目してきている。そのため事業の定義と同じような内容をもつ事柄に対してさまざまな呼び名が存在する。たとえば,ドメイン（企業の生存領域），ミッション（使命），長期目標,パラダイム,事業コンセプト,企業ヴィジョンなどが類似の意味内容をもつ言葉である。他の本で読んだ異なる言葉のものであっても意味内容は同じようなものだ,と思って読んで欲しい。そうすれば不要な混乱をしないですむ。

　ただし,この章で個々の事業部などが直面する事業の定義と全社レベルで行なわれる事業の定義とを分けて議論する時には,前者を「事業の定義」と呼び,後者を「ドメインの定義」と呼ぶことにする。通常の企業はいろいろな分野の製品やサービスを扱っているので,個々の製品分野ごとに行なわれる「事業の定義」と,多様な製品群を包括するような「ドメインの定義」とは,ずいぶん異なるものになる場合が多いのである。

　たとえば日立のような総合電機メーカーをイメージしてみて欲しい。日立は,洗濯機や冷蔵庫などの,いわゆる白もの家電を製造販売している一方で,液晶フローラのようなパソコンを売り,研究所でしか使われないような巨大なスーパー・コンピュータを作り,巨大な発電所も作っている。お煎餅の袋に記されている賞味期限の日付を工場で印刷するためのプリンタも日立製だったりする。これらの多様なビジネスのそれぞれについて「事業の定義」

が必要であるように，それらを全体としてまとめた「ドメインの定義」も企業が総合力を発揮していくには重要なのである。

　事業の定義あるいはドメインの定義は，戦略的に思考する場合の出発点であり，本来ならば本書の一番初めに書くべき部分である。ただ，内容が難しいので初学者の理解を助けるために便宜的にここまで議論を延期しておいたのである。おそらくここまで読み進んでくれた人ならば事業の定義の重要性を理解できるであろうが，普通の人にとってみれば事業の定義というのは哲学的な，あまりにも哲学的な議論のように思われるかもしれない。《計画のグレシャムの法則》にはまり込んでいる人にとっては，そんなことを考える暇などないし，そもそも具体的な仕事に役立たないように思われるであろう。

　しかし，事業の定義は戦略思考の出発点であるとともに，いつでもそこに帰っていかなければならない戦略論の基本である。

　しかも事業の定義もドメインの定義も，実は「具体的な仕事に役立っている」のである。たとえば前章でPPMの紹介をした際に，注意事項の部分で説明したように，事業を定義しなければ，市場シェアも市場成長率も計算できないのである。たとえばドレッシングを販売している会社が，「主としてスーパーやコンビニを通じて売られる一般家庭用ドレッシング」を自分たちの事業として定義しているのか，あるいは「レストランや生協の食堂などで使われる業務用のドレッシング」を事業の定義として採用しているのか，あるいは両方を含めた大きな定義を採用しているのかに応じて，自分の会社がリーダー企業として振る舞うべきか，それともチャレンジャーやニッチャーとして振る舞うべきかがずいぶん変わってくる。だから「事業の定義なんて必要ない」と思っ

ている人も、実は暗黙のうちに何らかの定義をして日々の実務に携わっているのである。しかし暗黙のうちに定義していると思わぬ落とし穴がある。だからこの章では、時折、「自分たちのビジネスは何だ？」と考えるときに、その考え方の基本を説明しておくことにする。

またドメインの定義も「具体的な仕事」に直結した問題である。そのことを具体的にイメージしてもらうために、ここではまずホリデイ・インズ社の例を見ておこう。

2. ホリデイ・インズ社のケース

ホリデイ・インズ社は、世界中にホテルやモーテルを保有するホテル・モーテルのチェーン店である。現在ではマリオットなど他の巨大ホテル・チェーンが出現してきているので、ホリデイ・インズ社はホテル・モーテル業界のトップ企業ではないが1980年ごろは業界1位の会社であった。ホリデイ・インズ社は、このホテル・モーテル・チェーンの親会社である。同社は、1970年代の末には既にかなりの程度の多角化を進めており、12億ドルの売上高のうちホテル・モーテル部門の割合は約50パーセント程度であった。当時のホリデイ・インズ社の事業構成は図7-1に示されている。

ホリデイ・インズ社は大きく分けると最も大きな売上げを占めるホテル・グループの他に3事業グループをもっていた。まず製品グループは、ホテルや病院用の家具を生産・販売し、自社のチェーン店と外部のホテルや病院に家具を納入する家具会社を初めとして、宿泊客に配布するホテル内の新聞を作る会社など、多数の雑多な事業から構成されていた。交通グループは、全米第2位

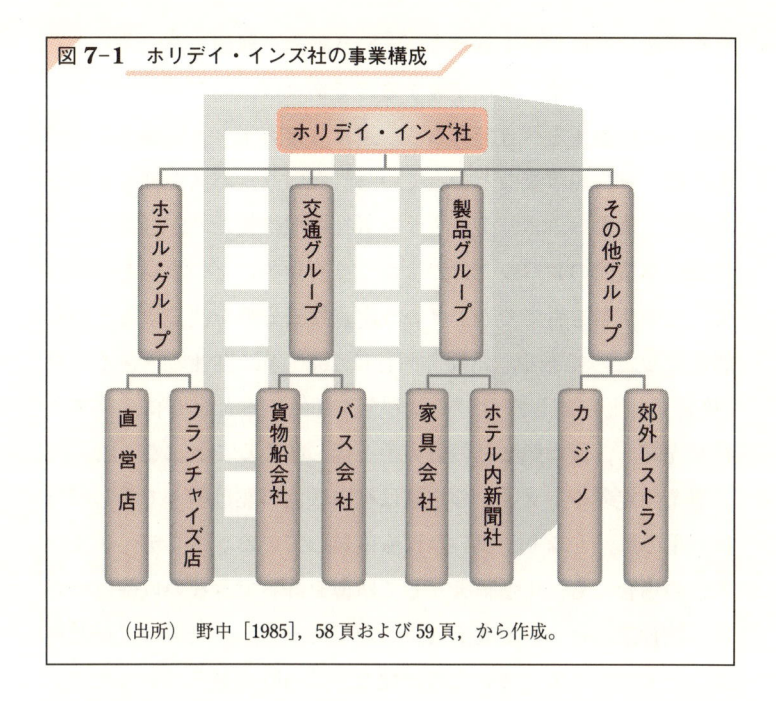

図 7-1 ホリデイ・インズ社の事業構成

```
                  ホリデイ・インズ社
    ┌──────────┬──────────┬──────────┐
ホテル・グループ  交通グループ  製品グループ  その他グループ
  ┌───┬───┐  ┌───┬───┐  ┌───┬───┐  ┌───┬───┐
 直営店 フラン  貨物船 バス   家具  ホテル  カジノ 郊外
     チャイ  会社  会社   会社  内新聞      レスト
     ズ店                   社       ラン
```

（出所）野中 [1985]，58 頁および 59 頁，から作成。

の長距離バス会社トレイルウェイズ社（1 位はグレイハウンド）と南米航路に強い貨物船会社デルタ・スチームシップ社から構成されていた。このほかに，その他グループとして，郊外レストランとカジノを保有していた。

このように多数の事業を抱え込んだホリデイ・インズ社の取締役たちは，1980 年前後に次の時代の投資先をどこにするべきか悩んでいた。彼らの意見は 2 つのドメイン定義の間で対立した。一方の人々は，ホリデイ・インズ社は「旅行業」に携わっており，移動と宿泊の機能を果たす事業分野に集中的に投資するべきだと主張した。もう一方の人々は，ホリデイ・インズ社は「接客業」に従事しているのであって，一般の消費者に対して接客業務を行

なう事業分野に集中するべきだという議論を展開した。

　もしも「旅行業」だと定義するのであれば，カジノやレストランからは撤退するべきであろう。逆に「接客業」と定義するのであれば，貨物船事業などやっていられないし，バス会社も必要ないかもしれない。ホリデイ・インズ社の取締役たちが悩んだのは，抽象的な議論のレベルだけではなく，具体的にどの事業を切り捨て，どの事業を育てるか，という重点投資分野を決定するという問題だったのである。結局，同社は1980年に自社のドメインを「接客業」と定義し，カジノに力を入れ始めるとともに，バス会社を売却し，貨物船会社の買い手を探し始めることになった。

　事業の定義やドメインの定義は社内政治の駆け引きでもしばしば利用され，かなり生臭い話にも直結している。ホリデイ・インズ社の場合にも，生活信条として賭博を許容できない取締役たちは「旅行業」という定義を支持したであろうし，企業の成長と利益こそすべてと考えていた取締役たちは当時成長期にあったカジノを成長の原動力としようとして「接客業」を主張したであろう。実際，最終的に「接客業」という定義が採用されるまでの間に，何人かの取締役が退任している。

　ホリデイ・インズ社の事例から分かるように，ドメインの定義あるいは事業の定義は抽象的な問題ではなく，具体的な行動と直結した重要な問題なのである。

2 事業定義の方法

1. 事業定義の3軸

事業を定義したり，ドメインを定義するのが重要だということは分かったが，いったいどうやって定義すればいいのだろうか。ここではまず個々の事業部レベルで発生する事業定義の問題を考えるための枠組みを簡単に述べておこう。エーベルという人が考え出したこの枠組みによれば，事業を定義するためには次の3つの軸を使って考えるべきである。すなわち，顧客グループと顧客ニーズと技術の3つである。

顧客グループを定義するというのは，対象とするのは誰か，あるいは対象とするのはどのような企業かを決めることである。顧客ニーズとは，たとえば美しくなりたいというニーズや自分の住んでいる部屋の壁を綺麗にしたいというニーズ，ゴキブリのいない生活をしたいというニーズ，固い金属に精密な穴あけを行ないたいというニーズなどを想定すれば良い。技術とは，そのニーズを満たす方法のことである。たとえばゴキブリの退治法にも，スプレー式の殺虫剤で退治する方法や「ゴキブリホイホイ」で捕獲する方法などなど，多様な技術がある。とりあえず，ここでは3つの軸で事業を捉えるということをまずおぼえてほしい。顧客グループをWho，顧客ニーズをWhat，技術をHowと置き換えれば憶えやすいだろう。また，事業の定義は市場の定義に技術（How）を加えたものだ，と覚えてもらってもいい。第2章で紹介されたセグメンテーションの議論を思い出してもらいたい。市

場を定義するためには,少なくとも,どこの (Where),誰の (Who),どのようなニーズ (What) かを考えないとならない。Where と Who を合わせて顧客グループだと考えれば,残る違いは技術だけである。だから事業の定義は,市場の定義＋技術(プラス)なのである。

　顧客グループと顧客ニーズと技術の3つの軸は,互いにある程度独立して決めることのできるものだということを注意しておこう。つまり,特定の顧客グループを決めたからといって顧客ニーズを決めたことにはならないし,顧客ニーズを決めたからといって技術を決めたことにはならない,ということである。たとえば,新宿駅から半径15キロメートルの所にあるワンルーム・マンションに住む27歳の独身男性という顧客グループは,さまざまな顧客ニーズをもっている。運動不足を解消したいというニーズをもっているかもしれないし,夜中に良い音質でクラシック音楽を聴きたいというニーズをもっているかもしれない。後者のニーズを満たすための方法も,高品質のヘッドホンという方法以外に,ボリュームを下げた時にも優れた音質で聴けるスピーカーという方法もあり,さらには夜中にクラシック・コンサートを開くとか,防音設備の整ったマンションを提供するという方法もある。

　3つの軸がある程度独立なのだから,3次元の座標軸を描いて事業を図形で把握するのが分かりやすい。エーベルの方法のエッセンスは,これら3つの軸のそれぞれについてどの程度の広さをとり,どの点で他社と差別化するかを図で明らかにすること,またそれが見た目に分かりやすく描けるということにある。最近のプレゼンテーション(発表)重視の世の中では,この「見た目に分かりやすい」というのは重要なのである。

2. 花王と資生堂のケース

より具体的な例でエーベルの方法を示そう。具体例として若干古いが、花王が1982年に化粧品市場にソフィーナ・ブランドで参入した時の事業定義を、当時の資生堂の事業定義と比較してみることにしよう。図を簡単にするため、顧客グループは、①男性と②女性という単純な区別にしておこう。顧客ニーズも単純に、①皮膚の老化防止や外気（あるいは刺激）からの保護というニーズと、②自分の個性を表現するというニーズの2つだと考えよう。技術は、①香りの合成と②色彩の合成と③皮膚科学の発見を利用した物質の合成の3つだと考えよう。

まず資生堂の事業定義は図7-2のように描かれる。資生堂は女性化粧品も男性化粧品も両方販売しており、女性も男性も自分の対象とする顧客グループだと考えている。しかも女性用にも男性用にも、両者の個性表現というニーズと外気（あるいは刺激）からの保護というニーズに応えて、それらのニーズを満たしていた。しかも女性用に関して言えば、香りの合成と色彩の合成の両方の技術を用いていた。つまり女性用については、ファウンデーションやクリームなどの基礎化粧品と、口紅やアイシャドーのようなメイクアップ化粧品をイメージしてもらえば良い。男性用に関しては、アフターシェーブローションやクリームなど、皮膚の保護を主目的とする化粧品を提供するとともに、ヘアリキッドやオードトワレなど、個性の表現というニーズに応える製品を提供していた。男性用の化粧品には、一応、色彩のついているものもあるが、色よりはむしろ香りの合成の方が技術としては重要であったように思われる。だから、男性用に関しては主として香りの合成技術を用いていて、色彩の合成技術は用いていなかったと考

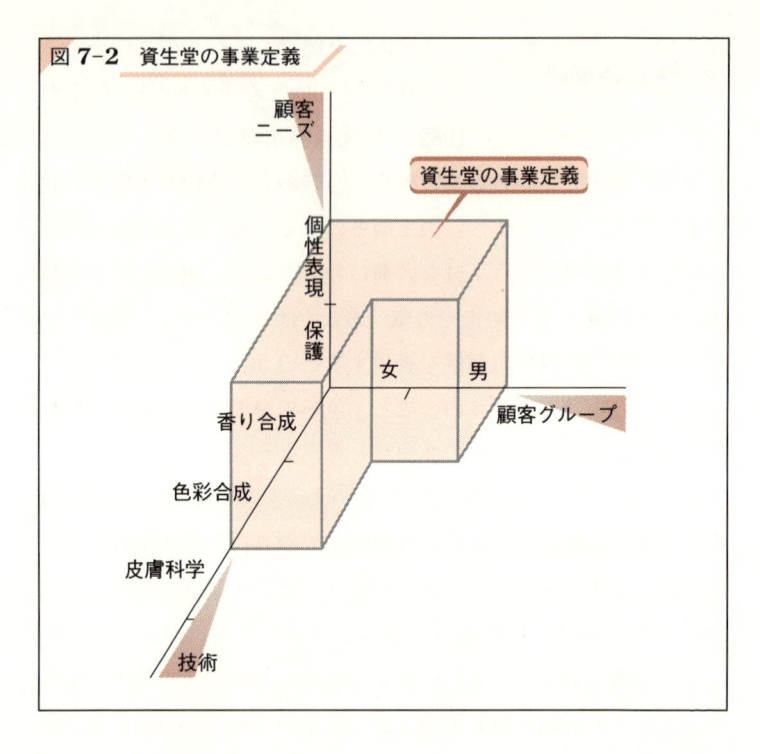

図 7-2 資生堂の事業定義

（顧客ニーズ：個性表現、保護／技術：香り合成、色彩合成、皮膚科学／顧客グループ：女、男）

えて図7-2が描かれている。また，この頃の資生堂は，皮膚科学という技術に関してはそれほど強調していなかった。もちろん皮膚に関する研究がなければ化粧品を作ることはできないのであろうが，「皮膚科学の知見に基づいて物質を合成する」という点は，花王が訴求点として打ち出してから強調されるようになったのである。

このような資生堂の事業定義に対して，新規参入を行なった花王はまず顧客グループとして女性のみを対象とし，彼女らの皮膚の老化防止や外気からの保護というニーズを香りの合成と色彩合成と皮膚科学の3つの技術を使って行なうことにした。これを描

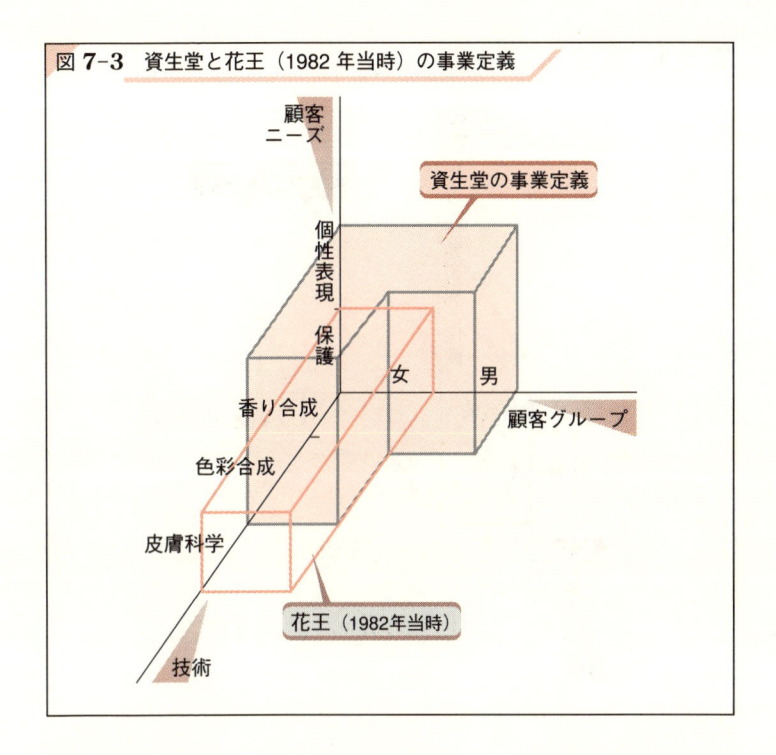

図 **7**-3　資生堂と花王（1982 年当時）の事業定義

（顧客ニーズ軸：個性表現／保護、技術軸：香り合成／色彩合成／皮膚科学、顧客グループ軸：女／男。資生堂の事業定義と花王（1982年当時）の事業定義を示す立方体図）

き込んだのが図 **7**-3 である。顧客グループと顧客ニーズに関しては非常に焦点を絞って，技術についてはより広い定義を採用して，事業の定義そのものが資生堂と明確に差別化されていたことが，図から明確に伝わってくるであろう。

　その後，花王はさらに化粧品市場での市場シェアを向上させていくべく，事業の定義を拡大していった。いったん市場で一定の市場地位を獲得した後で，事業定義を変更し，新たに口紅などのメイクアップ化粧品を導入し個性表現のニーズも満たすようになったのである。この事業定義がこのように拡大されたことを，図 **7**-4 に描き込んである。花王がどのような範囲を自社の化粧品

図 7-4 資生堂と花王（後期）の事業定義

顧客ニーズ軸：個性表現、保護、香り合成、色彩合成、皮膚科学
顧客グループ軸：女、男
技術軸

資生堂の事業定義／花王（後期）

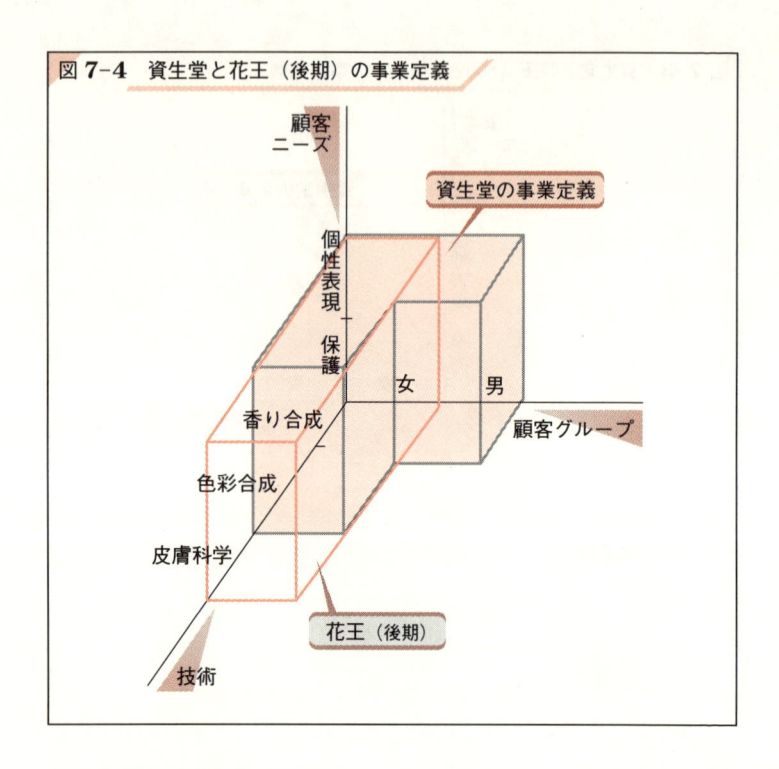

分野の事業定義として採用し，それが資生堂といかに差別化されていたかが明確に把握できるであろう。

3. エーベルに学ぶ

エーベルの事業定義の方法から学ぶ点は3つある。まず第1に，事業を定義する際に必ず顧客グループと顧客ニーズと技術という3つの軸に注意を払わないとならない，ということである。いつも何となく暗黙のうちに自分の事業を定義していると，顧客グループと顧客ニーズには気をつけているのに，技術については見落としていた，ということがありうる。気づかぬうちに新しい技術が出てきて，自

分たちのビジネスが危機に陥るということがないようにするためには，3つの軸に常に目配りしておく必要がある。

第2に，新規参入するにせよ，リーダー企業と4つのPで差別化して競争するにせよ，具体的なマーケティング・ミックスの差別化の背後には，事業の定義そのものの差別化があるということである。「自分たちの事業は何か」という問いに対する独自の答えがないのであれば，明確な差別化戦略は長続きしないであろう。

エーベルの議論から学ぶべき第3のポイントは，図による表現（グラフィカル・プレゼンテーション）がうまくできると思考がすっきりとする，ということであろう。常日頃から考えていることを絵で描いてみるというのは，頭の訓練になりそうだ。読者も試みて欲しい。

3　ドメイン定義の注意点

1. 5つのチェック・ポイント

複数の事業領域をもつ多角化した大企業の全社的なドメインの定義は際立って難しい作業である。どうやってドメインを定義すればよいのかはいまだによく分かっていない。しかし，いったんできあがったドメインの定義を評価する基準，つまりチェック・ポイントはいくつか主張されてきている。だから自分でドメインを定義しようと考える際に，最低限，このようなチェック・ポイントがある，という点は注意しておくべきだろう。簡単に言えば，チェック・ポイントは5つある。

(1) 機能的表現：モノに基づいた表現を避けて，機能（サービス）に基づいて表現すること。
(2) 緻密性：あまりにも抽象的になりすぎて，なんだか分からない定義にならないようにある程度緻密にすること。
(3) 時間展開：長期的に展望が描けるようにダイナミックな時間の流れが分かるようになっていること。
(4) 資源配分の焦点：資源配分のメリハリがはっきりすること。
(5) ドメイン・コンセンサスと夢：社外の人々にも受け容れられ，社内の人々の元気が出ること。

以上の5つである。

2. ホッファーとシェンデルの分類

初めの2つを理解するために，戦略論の大家であるホッファーとシェンデルの議論を紹介しておこう。彼らはドメイン定義のタイプを図7-5のように4つに分類する。タテ軸はドメイン定義が機能に注目した表現になっているか，モノに注目した表現になっているかを分類している。ここではタテ軸の両端を機能的表現と物理的表現と呼んでおくことにしよう。物理的表現とは，たとえば，「わが社はフィルム・メーカーです」とか「わが社は鉄道会社です」というような場合である。機能的表現とは，モノそのものではなく，そのモノが生み出すサービスにそくしてドメインを表現したものである。たとえば，「思い出を残す」とか「輸送」などと定義することである。

ヨコ軸は大まかに定義するか，緻密に定義するかという違いである。このように考えると，「鉄道事業」というのは物理的かつ大まかに表現されたドメイン定義であり，「石炭用長距離鉄道」

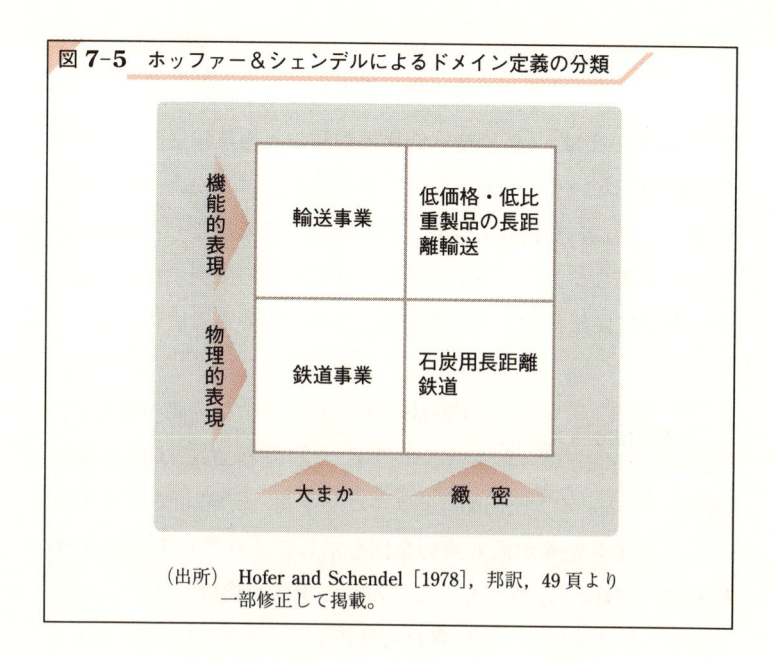

図 7-5 ホッファー&シェンデルによるドメイン定義の分類

	大まか	緻密
機能的表現	輸送事業	低価格・低比重製品の長距離輸送
物理的表現	鉄道事業	石炭用長距離鉄道

(出所) Hofer and Schendel [1978]，邦訳，49頁より一部修正して掲載。

というのは物理的かつ緻密,「輸送事業」は機能的かつ大まか,「低価格・低比重製品の長距離輸送」というのは機能的かつ緻密な表現がされているということになる。

かつてマーケティング学者のレビットは米国の鉄道会社は自社のドメインを鉄道事業と定義し, 輸送事業と定義しなかったために, 自動車産業の成長と共に衰退してしまった, と主張したことがある。たしかに鉄道事業という定義では, 自社の競争相手はあくまでも他の鉄道会社であって自動車会社と競争しているとは社員たちが考えなかった可能性がある。そのために輸送需要の多くが自動車輸送に奪われていっても鉄道会社の対応が遅れがちになったとしても不思議ではない。

しかし, ホッファー&シェンデルは, 輸送事業と定義するので

は十分ではないと主張する。彼らは，最適なドメイン定義は機能的表現であるとともに，緻密に行なわれなければならないという。図7-5でいえば，「低価格・低比重製品の長距離輸送」という表現が最適だというのである。大まかな定義では，かえって注意が分散して新しい変化に気づきにくいからである。むしろある程度緻密に定義しておいた方が，多くの社員にとって何に注意するべきかを明確に伝えることができる，というのである。

3. NECのケース

3番目のダイナミックな時間の流れが分かるように，という点では日本電気(NEC)のコンピュータ＆コミュニケーション，略してＣ＆Ｃ（シー・アンド・シー）というドメイン定義が最も適切な例を示してくれている。図7-6にＣ＆Ｃの図が示されている。かつて電話交換機（コミュニケーション）とコンピュータは異なる技術で作られていたが，コンピュータの技術が進歩し，またその基幹部品である半導体が進歩していくにつれて，コンピュータとコミュニケーション（通信）が両方とも同じ技術で出来るようになる。しかもコンピュータとコミュニケーションの融合と連合によって，世界中の情報が瞬時に手に入り，世界中の人々がさまざまな情報のやりとりを行なうような社会が到来する。日本電気のＣ＆Ｃはこのような未来社会の中で同社がコンピュータとコミュニケーションと両者をつなぎあわせる半導体の領域で事業を展開していくことを宣言したものである。図から技術と社会の変化シナリオが読みとれることは明らかであろう。

日本電気のＣ＆Ｃは，4番目のチェック・ポイント，すなわち「資源配分のメリハリがはっきりすること」を理解する上でも絶

図7-6 C&Cの発展

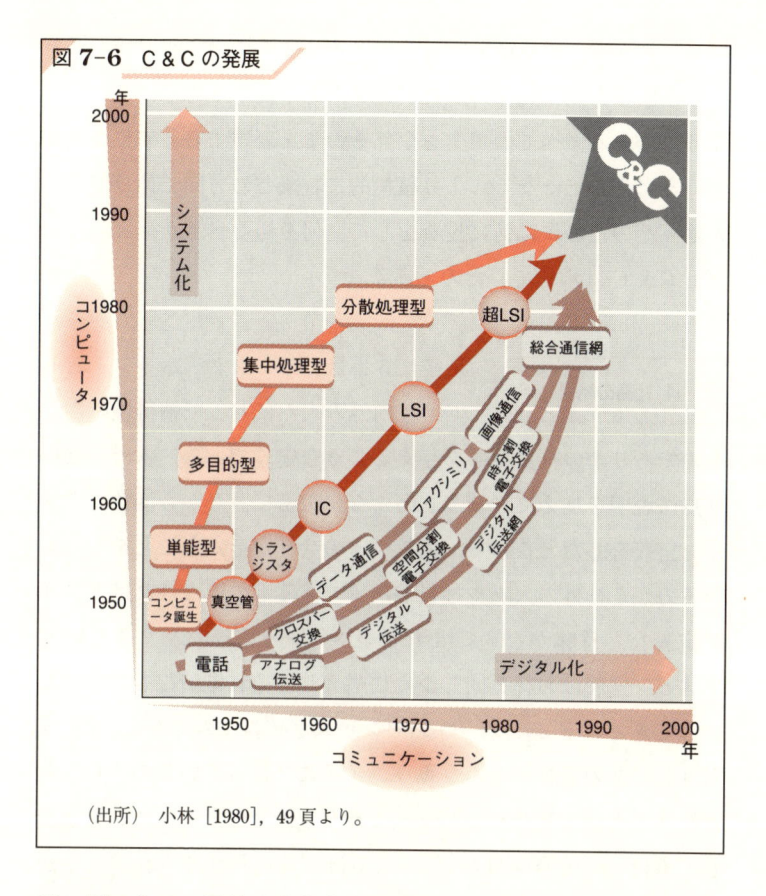

(出所) 小林 [1980], 49頁より。

好の例である。同社はもともと電電公社（民営化される前のNTT）に電話交換機などを納入する通信機を中心として多角化してきた企業であった。C&Cは同社の過去の事業展開を見直し，新たな成長の方向を示唆する役割をはたしている。まずC&Cの最初のCは通信機（コミュニケーション）のCではなく，コンピュータである。それ故，今後，日本電気が重視するのは通信機よりもコンピュータの方だというメッセージがC&Cには込められて

いる。しかも、C＆Cと宣言して、それまでに研究所で行なわれていた原子力発電関係のプロジェクトを中止することにした。つまり、今あるすべての事業を全部そのまま表現すると何になるか、という考え方ではなく、より積極的に将来どの方向で伸びていくのか、そのためには何に投資をして、何を切るべきか、ということもC＆Cは示していたのである。

4. 社員の納得

最後に5番目のチェック・ポイントとして、社内外の人々にとって納得性の高いものでありかつ社員に夢を与えるような定義であるべきだ、という点に説明を加えておこう。どんなに緻密に、しかも洒落たドメイン定義をしたところで、何故ウチの会社がそんなことをやっているのかを社外の人々や社員が納得できるものでなければドメイン定義など意味がない。これを**ドメイン・コンセンサス**という。ドメイン定義はお経と同じように唱えればそれで済むものではないのである。ドメイン・コンセンサスが必要なのである。「エッ、どうしてあの会社がそんなカッコイイこと言っているの？」などと社外の人から笑われてしまうような定義では、ドメインを定義してもほとんど意味はない。「なるほど、言われてみればたしかに、あの会社はそういうビジネスを展開しているよね」とか「そうだ。たしかに自分たちがやっていくべきなのはこういうビジネスなのだ」と社内外の人々が納得して初めて意味がある。

また、ドメイン定義は社員がそれによって夢を描けるようなものでなければならない。「夢なんて」とバカにしてはいけない。人間は意味のないことはしたがらない。自分たちの行なっている活動が単に目の前の競争相手に勝つ事だったり、納期に間に合わ

せることだとしたら，数年のうちに人間は疲弊し切ってしまう。会社にカネを儲けさせるためだけ，あるいは株主に利益を還元するためだけだったら，そのうち社員はやる気がなくなっても当然であろう。今やっているこの忙しい仕事が，長期的に，また大局的に見ると，こういう形で社会を進歩させているのだとか，世界をより住みやすい場所にしているのだ，といったような高邁な理想の実現の一部でなければ，生き生きとして充実した日々を過ごすことはできない。現代の日本社会のように豊かになった社会では，ただ単に生きていくことは容易い。毎日毎日，つまらない仕事を我慢して会社に行ってさえいればいいのだ。それが嫌で会社を辞めても，毎日を生きていく程度の収入はアルバイトで手に入る。幸か不幸か豊かな時代に生まれたわれわれは飢え死にするほど悲惨にはならない。だが，生き生きとした充実した日々を過ごすことは，これに比べたら途方もなく難しい。会社をこのような生き生きした生活のできる場にするか，あるいは辞めたいと思いながら嫌々出社している人々で満たすか。このカギを握っているのがドメインの定義なのである。

4 終わりに

最後にひとつだけ，ドメインの定義とか事業の定義などの議論をするときにしばしば引用される有名な話をひとつ書いておこう。カール・ワイックという異端の組織論者が好んで引用するこのお話は，まずハンガリー軍の若い中尉がアルプス山中に少人数の斥候チームを派遣することから始まる。斥候たちが出発する頃にち

ょうど降り始めた雪はやがて吹雪になり，彼らは2日間待っても帰ってこなかった。中尉は心配になる。「斥候隊員たちは無事だろうか。今頃どこでどうしているだろうか。」3日めになって斥候チームが無事に帰ってきた。中尉が今までどうしていたのか尋ねると，1人がこう答えた。「吹雪の中で道に迷ってしまい，吹雪がやむのを待っていました。すると隊員の1人がポケットの中に地図が入っているのを見つけました。皆，それを聞いて安心し，自分たちの現在地点と本隊への帰還ルートが確認できました。吹雪がやんで，その地図を頼りにしながら，こうやって無事に帰ってこられたのです。」しかし，中尉がその地図をよく見てみたら，実はそれはアルプスの地図ではなく，ピレネー山脈の地図だった，というお話である。

このお話のエッセンスは，地図は必ずしも現実の地形を表わしている必要があるわけではない，ということである。地図があれば困難な状況に直面したときにパニックに陥らない。だから皆が冷静な判断をすることができるようになり，その時々の状況に合わせて力を合わせて困難を乗り切ることができる。この地図をドメインの定義だと考えれば，その意味するところは明らかであろう。ドメインの定義がある場合と無い場合を比べたら，多少問題のあるドメイン定義でも，無いよりあった方が随分良いのである。困難な状況に直面すればするほど，皆の冷静な状況判断と協力する精神が必要になる。これは企業でも軍隊でも同じことであろう。そういう逆境に直面したときに，ドメインの定義はきわめて重要になるのである。

終章 戦略的思考に向かって

1. 本書のまとめ

簡単に今までの議論の流れを振り返っておこう。第Ⅰ部ではターゲット市場とマーケティング・ミックスのフィットをいかにして作り上げるか，ということを考えた。まず第1章では，企業が顧客に働きかける手段であるマーケティング・ミックスを4つのP（プロダクト，プレイス，プロモーション，プライス）に分類して，それぞれの説明を行なった。続く第2章では，ターゲットとして狙うべき市場の部分を探し出し選択するために，市場を何らかの軸によって分類する方法について述べた。こうやって選択されたターゲット市場にフィットするように特定のマーケティング・ミックスを構築するのがマーケティング戦略の基本である。しかし，ターゲット市場とマーケティング・ミックスのフィットは，まわりの状況しだいで変わる。製品がたどるライフサイクルの段階ごとに，また

市場で自社が占める地位に応じて，どのようなターゲット市場を設定し，どのようなマーケティング・ミックスを構築しなければならないかが変わってくる。ライフサイクルの段階ごとの問題は第3章で考察し，市場地位別のマーケティング戦略については第4章で議論した。

　第I部で述べた内容が主として自社の特定分野と顧客ニーズの間の適合関係に注意を向けており，その関係に影響を及ぼす時間的な変化（製品ライフサイクル）と市場地位とに議論を限定していたのに対し，第II部ではこれらの適合関係を考える上で重要な背後のコンテクストをもっと大きく広げるための考え方を議論した。第5章では，競争の概念を拡張し，競争相手が必ずしも同業他社だけではないことを示した。業界内の同業他社間の競争を規定する要因ばかりでなく，買い手や供給業者，新規参入業者，代替品などの5つの競争要因によって自社の利益が奪われていることを強調した。第6章では，今度は視点を企業内部に移して広げる努力をした。今日の大規模企業の多くは，単品だけを製造・販売しているわけではなく，多数の事業領域にまたがってビジネスを展開している多角化企業である。このような多角化企業の中で行なっている自分の仕事をより良く理解するためにPPMという手法が紹介された。さらに第7章では，自分たちの従事しているビジネスがいったい何であるのかを根本的に問いなおす作業が重要であると主張された。この章では，事業の定義，あるいはドメインの定義こそが戦略的な思考を行なう上でのカギなのだと主張されていた。

2. 3つのスタンス

これらのすべての章に流れている共通の主張について最後にまとめて考えておくことは有意義であろう。本書冒頭のイントロダクションでも述べたように、戦略的に思考するためには、①大きく考えること、②未来を考えようとすること、③論理的に考えることの3つが重要である。より大きく考えることが重要だというのは、この本の全体の構成にも表われている。はじめはできるだけ身近な顧客ニーズとマーケティング・ミックスの適合から入り、徐々に市場地位や業界構造、自社の他の事業領域など、より広いコンテクストの下で考えようとするように本書は書かれている。未来について考えたり、時間と共に生じる変化を捉えるという思考法は製品ライフサイクルやPPMや事業の定義のさまざまな部分で述べられていた。フィットという概念の重要性を強調することで、また個々の事例の説明をできるだけ論理的に行なうことで、論理的に考えることの重要性が強調されていた。

3. 集中せよ

これらの3つのスタンスはどれも戦略的思考にとって重要なものである。ここでは最後にもうひとつだけ、戦略的思考にとって重要なスタンスを述べておきたい。それは「集中する」ということである。たしかに目の前にある仕事はすべて大切なように思われるだろう。しかし、時間は限られている。仕事をする人間の数も限られている。こういった時には、手抜きをするわけではないが、やはりより重要な仕事とやや重要でない仕事のめりはりをつけておく必要がある。「集中する」ということは見方を変えれば「切り捨てる」ことでもある。「切り捨てる」のは何ごとにせよ辛いことだ。しか

し,「切り捨てる」必要があるから人間は考えるのである。

　切り捨てることができずに窮地に陥った例をひとつとり上げて,この本の締めくくりにしよう。ビジネスの例でもよいのだが,軍事戦略の例をあげておくことにしよう。

　かつて第1次世界大戦の前に,ドイツ軍参謀本部はシュリーフェン・プランという戦略を立案していた。このプランをはじめに創り上げた時の参謀総長の名前にちなんで付けられた名称である。シュリーフェンが深刻に考えた問題は,フランスとロシアという2つの大国と同時に戦争してドイツが勝利を収める方法はないか,ということだった。いわゆる2正面作戦は明らかに不利だ。戦力を2つの戦線に分割すれば,どちらの戦線でも勝利することは難しい。そこでシュリーフェンはまず対ロシア戦線(東部戦線)を取り敢えず切り捨てることにした。つまり,もしも戦争が始まったならば,当初は東部戦線にはほとんど兵力を配置しないことにしたのである。このような意思決定を下した背後には,ロシアがその広大な国土に散らばった農民を徴兵してひとりひとりに武器を渡すのに時間がかかる,という冷徹な読みがあった。だからまず対フランス戦線(西部戦線)に兵力を集中し,そこで迅速かつ徹底的な勝利を収めてフランスと講和を結び,しかる後に兵力をすべて東部戦線に投入しようと考えたのである。そうすればロシアがドイツの領土を多少侵食したとしても,すぐに取り戻せるはずだ。

　さらに,フランスに対して短期間で徹底的な軍事的勝利を収めるために,戦略的包囲という手が考えられていた。これは,西部戦線のベルギー・オランダ側に大量の兵力を配備し,アルザス地方側(スイス側)にはごく少量の兵力のみを配置するという作戦

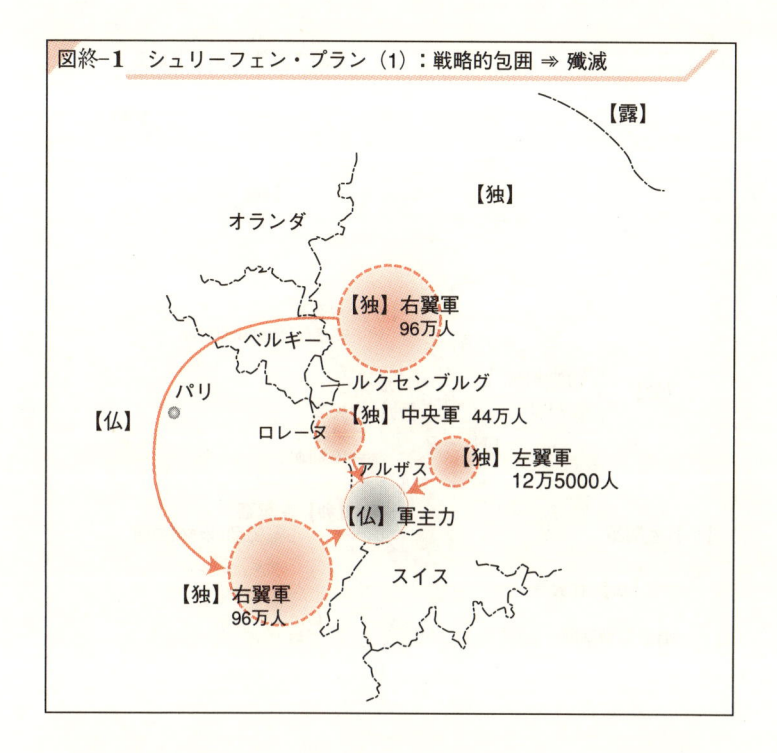

図終-1　シュリーフェン・プラン（1）：戦略的包囲 ⇒ 殲滅

【露】
【独】
オランダ
【独】右翼軍 96万人
ベルギー
ルクセンブルグ
【仏】　パリ
ロレーヌ　【独】中央軍 44万人
アルザス　【独】左翼軍 12万5000人
【仏】軍主力
【独】右翼軍 96万人
スイス

だった。シュリーフェンがプランを作った時にドイツが徴集できた師団数は72個であった。**図終-1**に見られるように，シュリーフェン・プランではドイツ側から見て右翼に53個師団を配置し，中央に10個師団，左翼に9個師団を配備することになっていた。それぞれの軍団には特定の戦略指針が与えられていた。中央の軍団はその場所を維持し，左翼軍は徐々に撤退する。右翼軍は迅速にフランス領内に攻め入り，パリの近くを通って旋回する。

　このようなドイツ軍の行動に対してフランス軍は次のように行動するはずだと考えられていた。まず，フランス左翼軍は圧倒的な強さを誇るドイツ右翼軍に敗北を重ね，撤退につぐ撤退を行な

図終-2 シュリーフェン・プラン（2）：実際の展開＝マルヌの戦い

【露】

【独】

オランダ

【独】右翼軍
53個師団⇒39個師団

ベルギー

13個師団

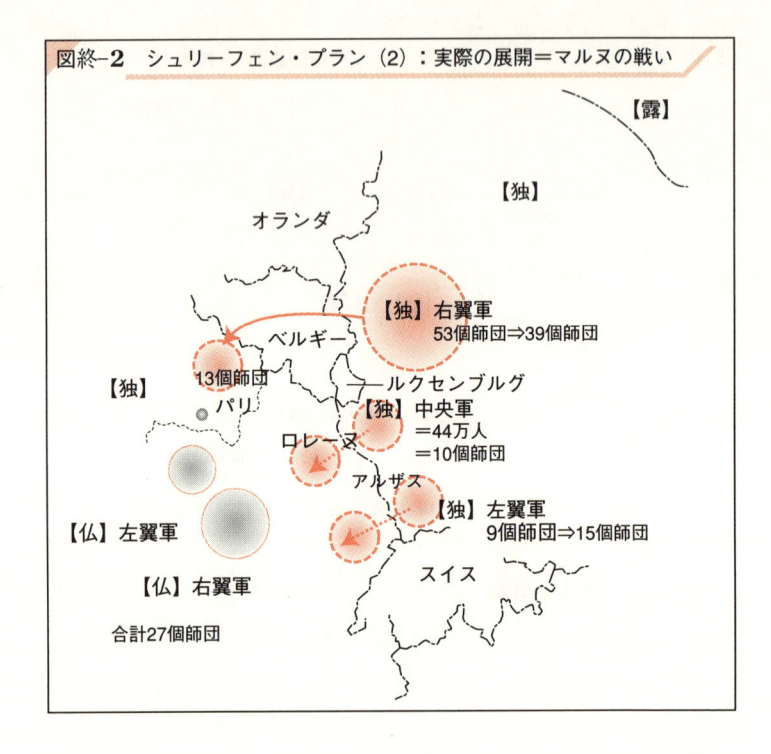

【独】

ルクセンブルク

パリ

【独】中央軍
＝44万人
＝10個師団

ロレーヌ

アルザス

【独】左翼軍
9個師団⇒15個師団

【仏】左翼軍

スイス

【仏】右翼軍
合計27個師団

うであろう。逆に弱小のドイツ左翼軍と対峙するフランス右翼軍は徐々にドイツ領内に引き込まれていくだろう。ドイツ右翼軍に蹴散らされたフランス左翼軍の残りも，このフランス右翼軍の進軍に参加し，徐々にフランス軍の主力はドイツ左翼軍が撤退をした後のドイツ領内に集結するようになるだろう。一方，強力なドイツ右翼軍はパリ近郊をかすめて旋回し，フランス右翼軍の背後に回り込む。それまで持場を維持していたドイツ中央軍もフランス右翼軍に対する攻撃を始め，兵力損耗を最小限に抑えて撤退を続けていたドイツ左翼軍も攻勢に転ずる。このようにして，フランス軍の主力をドイツ領内に引き込んで包囲し，一気に殲滅するは

236 終 章 戦略的思考に向かって

ずであった（図終-1）。

　このシュリーフェン・プランがさまざまな意味で「集中」を行なっていたのが分かるであろう。まず，東部戦線を切り捨て西部戦線に集中する。次に西部戦線の右翼に「集中」的に兵力を配置する。第1次大戦が勃発する1年前の1913年に他界したシュリーフェンは，「右翼を徹底的に強大ならしめておけ」と言って息絶えたという。

　しかし，シュリーフェンの後を継いで参謀総長に任命された小モルトケ（普墺戦争・普仏戦争当時の参謀総長モルトケの甥）は，この「集中」の原則を崩した。まず，人口増加によって新たに徴集可能になった6個師団を左翼へ回した。これによってまず意図された左右のアンバランスが弱まってしまった。しかも，右翼から7個師団を東部戦線へ転出させ，7個師団をパリ近郊での旋回をさせずにベルギー国内の鎮圧のために現地にとどめ置いてしまった。この結果，左翼はやや強力になり，右翼はやや弱小になり，全体としての左右のアンバランスは完全に弱まってしまったのである。その結果，ドイツ右翼軍のうちパリ近郊までたどり着いたのは高々13個師団に過ぎなかった。しかも，強力になったドイツ左翼軍は撤退をせずにフランス右翼軍に勝利を収め，フランス領内に攻め入ってしまった。フランス左翼軍がパリ近郊で13個師団のドイツ右翼軍と戦った時，敗退してパリの近くまで戻っていたフランス右翼軍は友軍の支援にかけつけることができた。ドイツ軍13個師団に対して，フランス軍は合計で27個師団になっていた。その後ドイツ，フランス両軍ともに決定的な勝利を収めることができずに，映画にもなった『西部戦線異常なし』で有名な長期にわたる塹壕戦に入ったのであった。この塹壕戦でドイツ

は一歩もひけをとらなかったわけだが，戦争全体としてみればもはや敗北は明らかだった。フランス軍との戦闘が長引けばロシアも兵力の動員を終了し，2正面作戦を強いられることになるからであった。

　おそらく，小モルトケは前線にアンバランスに配備された兵力を見て不安になったのであろう。左翼軍が決定的な敗北を喫したらどうしようか。ロシア軍が予想以上のスピードで攻めてきたら困る。こういった心配は当然のことだろう。シュリーフェンが偉大な戦略家であったのは，こういった心配を十分にしていながらも，それでもなおかつ大胆に「切り捨て」，「集中」することができた点にある。このような「切り捨て」と「集中」は本質的に難しい作業であることは，何も軍事の場合に限らない。ビジネスの世界でも，人間の人生でも，日々の生活でも，真剣に考えぬいた末に切り捨て，集中することが成功をもたらすのである。

参考文献

主要参考文献

Abell, Derek F. [1980], *Defining the Business: The Starting Point of Strategic Planning*, Prentice-Hall.（石井淳蔵訳 [1984]、『事業の定義』千倉書房。）

Abell, Derek F. and John S. Hammond [1979], *Strategic Market Planning*, Prentice-Hall.（片岡一郎・古川公成・滝沢茂・嶋口充輝・和田充夫訳 [1982]、『戦略市場計画』ダイヤモンド社。）

相原修 [1989]、『ベーシック マーケティング入門』日本経済新聞社（第2版は1999年に刊行されている）。

Galbraith, Jay R. and Daniel A. Nathanson [1978], *Strategy Implementation: The Role of Structure and Process*, West.

Hofer, Charles W. and Dan Schendel [1978], *Strategy Formulation: Analytical Concepts*, West.（奥村昭博・榊原清則・野中郁次郎訳 [1980]、『戦略策定』千倉書房。）

伊丹敬之 [1984]、『新・経営戦略の論理：見えざる資産のダイナミズム』日本経済新聞社。

金井壽宏・米倉誠一郎・沼上幹編著 [1994]、『創造するミドル：生き方とキャリアを考えつづけるために』有斐閣。

経営アカデミー経営意思決定コース [1990]、『平成元年度 グループ研究報告書』日本生産性本部。

小林宏治 [1980]、『C&Cは日本の知恵』サイマル出版会。

Kotler, Philip [1980], *Marketing Management*, Prentice-Hall.（村田昭治監訳 [1983]、『マーケティング・マネジメント：競争的戦略時代の発想と展開』プレジデント社。）

Levitt, Theodore [1962], *Innovation in Marketing: New Perspectives for Profit and Growth*, McGraw-Hill.（土岐坤訳 [1983]、『マーケティングの革新：未来戦略の新視点』ダイヤモンド社。）

McCarthy, E. Jerome and William D. Perreault, Jr [1988], *Essentials of Mar-*

keting, Irwin.

McNamee, Patrick B. [1985], *Tools and Techniques for Strategic Management*, Pergamon Press.

March, James G. and Herbert A. Simon [1958], *Organizations*, John Wiley & Sons.(土屋守章訳 [1977],『オーガニゼーションズ』ダイヤモンド社。)

日本経済新聞社 [各年版],『市場占有率』日本経済新聞社。

野中郁次郎 [1985],『企業進化論』日本経済新聞社。

Porter, Michael E. [1980], *Competitive Strategy*, Free Press.(土岐坤・中辻萬治・服部照夫訳 [1982],『競争の戦略』ダイヤモンド社。)

Rothenberg, Gunther E. [1986], "Moltke, Schlieffen, and the Doctrine of Strategic Envelopment," in Peter Paret (ed.), *Makers of Mordern Strategy*, Princeton University Press.

嶋口充輝 [1984],『戦略的マーケティングの論理』誠文堂新光社。

嶋口充輝 [1986],『統合マーケティング:豊饒時代の市場志向経営』日本経済新聞社。

嶋口充輝・石井淳蔵 [1995],『現代マーケティング 新版』有斐閣Sシリーズ。

田内幸一 [1985],『マーケティング』日経文庫。

寺畑正英 [1998],「製品ライン戦略と顧客の学習」『組織科学』第32巻第2号, 41-53頁。

Weick, Karl E. [1990], "Introduction: Cartographic Myths in Organizations," in A. S. Huff (ed.), *Mapping Strategic Thoughts*, John Wiley & Sons.

米田清紀 [1988],『エリア・マーケティングの実際』日経文庫。

米倉誠一郎 [1986],「ルイヴィトン:挑戦するブランドビジネス」『コモンセンス』5月号。

他に,『日本経済新聞』,『日経産業新聞』,『日経流通新聞』の多数の記事を参考にしている。

―――― **より進んだ学習のために**

(1) マーケティングの入門書

本書よりもさらにコンパクトにまとまった教科書として,

相原修 [1989],『ベーシック　マーケティング入門』(第2版は [1999])
　　日本経済新聞社,

がお薦めできる。また,マーケティングに関連した現象とその分析のおもしろさを教えてくれる書物として,

石井淳蔵 [1999],『ブランド:価値の創造』岩波新書,

も是非読んでもらいたい。

事例をベースにしてマーケティングの領域の学習を進めたいと考えている読者には次のシリーズが良いであろう。

嶋口充輝・竹内弘高・片平秀貴・石井淳蔵編
　　[1998],『マーケティング革新の時代 1　顧客創造』有斐閣。
　　[1999],『マーケティング革新の時代 2　製品開発革新』有斐閣。
　　[1999],『マーケティング革新の時代 3　ブランド構築』有斐閣。
　　[1998],『マーケティング革新の時代 4　営業・流通革新』有斐閣。

また,基本的なフレームワークと興味深い最新の事例が組み合わされた教科書として,

神戸マーケティングテキスト編集委員会編 [2001],『1 からのマーケティング』碩学舎,

もお薦めできる。

(2) マーケティングの教科書

本書よりも包括的なマーケティングの教科書として,

出牛正芳 [1996],『現代マーケティング管理論』白桃書房, と

和田充夫・恩蔵直人・三浦俊彦 [1996],『マーケティング戦略』有斐閣アルマ・シリーズ,

の2冊をあげておこう。前者は,マーケティングのオーソドックスな議論を包括的に含んでいる優れた教科書であり,後者は本書よりも若干レベルの高いマーケティング戦略の教科書である。

また，カバーしている領域は本書より狭いけれども，もう少し専門的にブランドについて考えてみたい読者には，

小川孔輔 [1994], 『ブランド戦略の実際』日経文庫,

がお薦めできる。

(3) マーケティングの研究書

さらに進んだ学習をしたいと思われる読者は，難易度が上がってしまうけれども，マーケティングの研究書に取り組んでみるのも良いだろう。以下にあげる書物以外にも優れた研究書が存在するとは思われるが，著者自身はマーケティング学者ではなく戦略論が専門であるので，必ずしも広くをカバーできていない。それでも最初の一歩として以下のものを読んでみると，この領域のおもしろさが分かるのではないかと思われる。

石井淳蔵 [1993], 『マーケティングの神話』日本経済新聞社。

田村正紀 [1996], 『マーケティング力：大量集中から機動集中へ』千倉書房。

上田隆穂編 [1995], 『価格決定のマーケティング』有斐閣。

また，教科書ではあるが，難易度から言えばここに含めるべきものとして,

丸山雅祥・成生達彦 [1997], 『現代のミクロ経済学：情報とゲームの応用ミクロ』創文社,

がある。これは経済学の教科書なのだが，マーケティングとか企業間の競争といったことを学ぼうとする意欲的な学生にとってはきわめて優れたテキストである。マーケティングで言われていることの経済学的理論の背景を知りたい人や，既に経済学を学んでいてマーケティングの領域へと展開したいと考えている学生には特にお薦めである。

(4) 戦 略 論

マーケティング寄りの戦略論の教科書としては,

Aaker, David. A. [1984], *Strategic Market Management*, John Wiley & Sons.
（野中郁次郎・北洞忠宏・嶋口充輝・石井淳蔵訳 [1986], 『戦略市場経営：戦略をどう開発し評価し実行するか』ダイヤモンド社),

が最近の定番であろう。

　寝転がって読んでも楽しい戦略論の入門書として，

　榊原清則［1992］，『企業ドメインの戦略論：構想の大きな会社とは』中公新書，

がある。本書のドメインの議論を読んで興味をもたれた方は是非一度お読みになっていただきたい。

　より広く戦略論を学ぼうと思われる読者には，

　石井淳蔵・奥村昭博・加護野忠男・野中郁次郎［1996］，『経営戦略論　新版』有斐閣，

が比較的コンパクトに分かりやすく書かれた教科書としてお薦めできる。また，より具体的な戦略行動について知りたい人には，若干難しいけれども，

　加護野忠男・野中郁次郎・榊原清則・奥村昭博［1983］，『日米企業の経営比較』日本経済新聞社，

の前半部分が役に立つに違いない。

索引

事項索引

数字・アルファベット

4P〔4P's〕 →4つのピー
AIDMA・モデル →アイドマ・モデル
BCG →ボストン・コンサルティング・グループ
build →構築せよ
C&C 226-228
harvest →収穫せよ
hold →維持せよ
How 217
NEC →日本電気
PPM 189-210
　——が考えている経営資源 208
　——キャッシュ・フローのマネジメント 201
　——独立採算のシナリオ 198-200
　——のキャッシュ状況 196
　——の戦略指針 203-205
　——の単純な調整のシナリオ 200-201
　——のデメリット 208
　——のメリット 194, 209
　——の留意点 206
　——を解読するための仮定 195
SBU 207
　——の戦略ミッション 204
　——の統轄責任者 205
　——の評価 205
SCM →サプライ・チェーン・マネジメント
What 55, 217-218
Where 55, 218
Who 55, 217-218
withdraw →資金回収せよ

あ行

アイテム〔品目〕 18
アイドカ〔AIDCA〕・モデル 73
アイドマ〔AIDMA〕・モデル 72-73
浅いライン 134
新しいユーザーの獲得 112
新しい用途の開発 113
「維持せよ」 204
一眼レフ・カメラの生産金額 87
1次卸 23
1回当たりの使用量増 114
5つの競争要因 150-151, 185
一般的な軸 54
イノベーション 116
イノベーター 75
売り手の交渉力 175
上澄み価格政策 75

営業マン　29
エーベル（D.F. Abell）　217
　――の方法　218-219, 222
エリア・マーケティング　50
脅し　179
オピニオン・リーダー　77
おまけ　15-17
卸売業者　180

か行

海外市場　87
買い手グループの集中度　176
買い手の交渉力　153, 175
買い手のパワー　175-176
買い手の利益水準　182
開放型チャネル政策　24, 95
花王のケース　219-222
価格　→プライス
価格競争　160
価格交渉　180
価格政策　75
価格センシティビティ　175-176
カップヌードルのケース　94-97
割賦販売　171
カニバリゼーション〔カニバリ〕
　→共食い
金のなる木　197
カラーフィルム業界のハーフィンダル指数　158
川上　179
川下　179
環境　3-4
感情的スイッチング・コスト　162

企業ヴィジョン　212
企業の生存領域　→ドメイン　212
疑似ユーザー期　43
技術　217-218, 221-222
　――と社会の変化　226
　――の交代期　109
技術革新　86
既存企業　155
既存企業間の対抗度　151, 185
既存企業間の敵対関係を強める条件　156
機動的な戦場変更　126
機能的表現　224
規模の経済（性）　106, 168-170
キャッシュ〔現金〕　192, 208
　――の量　194
キャッシュ創出最大化　204
キャッシュ・フローのマネジメント　201
業界の構造分析の基本骨格　152
業界の成長（率）　112, 174
供給業者の交渉力　153
競争業者　13, 155, 163
競争要因の変革　186
許認可制　173
切り捨て　233-234, 238
口コミ　30
グラフィカル・プレゼンテーション　→図による表現
経営資源　174
経験効果　107, 169-170
経済性セグメント　133
結合ターゲット・アプローチ

　　　　62
決定的セグメント　124, 126
現　金　→キャッシュ
健全な赤字部門　210
後期大衆追随者　81
広　告　27
広告媒体　28
高成長　81
「構築せよ」　203
行動面の軸　48, 52
購買行動　53-54
広報活動　29
後方統合　179-180
小売業の種類　21
小売店　180
顧客グループ　217, 219-222
顧客ニーズ　35, 217, 219, 221-222
顧客のタイプ　47
国勢調査　51
コスト　33
コスト・コントロール　134
コスト情報　180
コスト・ダウン　182
コスト・パフォーマンス比　184
コスト・リーダーシップ戦略
　　　　62
固定価格　37
固定費　159
コトラー（P. Kotler）　102
コモディティ　160
コンセプト　55

🔵 さ 行

在庫費用　159-160
サービス（の束）　12-13
サプライ・チェーン・マネジメント　25
差別化　120, 123, 126, 140, 162, 178, 221-223
　——の困難　160
　生存空間の——　129
産業財　53
産業の成長率　159
残存者利益　88
参入障壁　168-173
　——の高さ　167-168
シェア維持〔防衛〕　111, 114, 204
シェア拡大　111, 203
シェルフ・スペース　104, 172
シェンデル（D. Schendel）　224
時間展開　224
事業コンセプト　212
事業単位　→SBU
事業の定義　211-213, 218, 222
　——の拡大　221
　——の枠組み　217
事業売買　208
事業部制　191
「資金回収せよ」　205
軸　49
　一般的な——　54
　行動面の——　48, 52
　人口統計的（な）——　48, 51-52, 56
　心理的な——　48, 52, 56
　セグメンテーションの——　49, 53
　地理的な——　48-51, 56
資　源　4

――の集中投入　124
資源配分　226
　――の焦点　224
自己成就的予言　91
　――のサイクル　92
市　場　41
　――の拡大　72, 111
　――の定義　217-218
市場細分化　→セグメンテーション
市場セグメント　→セグメント
市場参入　77
市場シェア　192
市場成長率　192-193
市場地位の分類法　102
市場地位別マーケティング戦略の定石　136
市場部分　→セグメント
資生堂のケース　219-222
実績　174
シナジー効果　110, 168-169
資本集約的な業界　170
指名買い　32
「収穫せよ」　204
集　中　209-210, 216, 233-234, 237-238
シュリーフェン・プラン　234-237
消費者　21
乗用車の市場シェア　103
商　流　20
シルバー期　46
新規参入　166-167
　――の脅威　153, 168, 174
新規参入企業　169
人口統計的(な)軸　48, 51-52, 56

人材の最適配置　206
浸透価格政策　75
心理的(な)軸　48, 52, 56
衰退期　70, 83-88
垂直統合　179
スイッチング・コスト　161-162, 178-179
隙間市場　→ニッチ
ストラテジー　→戦　略
ストラテジック・ビジネス・ユニット　→SBU
図による表現　223
清　算　205
生産能力の拡大〔拡張〕　162-163
生産部門の特徴とのフィット　38
成熟期　70
　――の戦略定石　82-83
生存空間の差別化　129
成長機会　192, 200
成長期の戦略定石　78-80
成長期の特徴　77
成長率　195
製　品　→プロダクト
製品系列　→ライン
製品差別化　172
製品標準化　178-179
製品ポートフォリオ・マネジメント　→PPM
製品ライフサイクル　69-97
　――の理論　70
　自己成就的予言が成り立つ――　91-93
　変則的な――　90

セグメンテーション　42-43, 47, 59, 63, 217
　　──とマーケティング・ミックス構築のプロセス　64
　　──のアプローチ　61
　　──の軸　49, 53
　　ユーミンの考えた──　56
セグメント　42, 47
　　──内の同質性　59
　　──の市場規模　59
　　──の定義　55
　　狭い──　128
接客業　215-216
セミ・フルカバレッジ（政策）　123, 126
セミ・フルライン　123
先行者の優位性　170
全体-部分　207
選択的投資　209
前方統合　179
戦　略　3
戦略経営　206
戦略事業単位　→SBU
戦略的思考　4-6, 233
戦略的な価値　165
早期追随者　77
総合電機メーカー　212
操作性　59
相対市場シェア　193
存　続　83

た 行

大規模な運転資金　171
退出障壁　165-166
代替品の脅威　154, 184-185
ターゲット（市場）　43, 55-56, 58
　　──の設定　61, 63
ターゲット・セグメント　43
誰（for Whom）　55
単一ターゲット・アプローチ　61, 128
地域（Where）　55
遅期追随者　83
緻密性　224, 226
チャネル政策　24
チャレンジャー　100
　　──の戦略　119-127
　　──の戦略定石　122
長期志向〔目標〕　210, 212
地理的な軸　48-51, 56
低価格　34
デジタル・カメラ（業界）　86, 164
撤　退　83, 204
　　──のタイミング　84
展　開　83
転換期　46
同質化　115-116, 120
同質化製品　139
同質化戦略　142
導入期　70-77
　　──の戦略定石　74-77
　　──のプロモーション　95
特定セグメントへの集中　126
独立採算性　191, 198-199
トップ・シェア　104-105
　　──のデメリット　108
トップ・ブランド　105
ドメイン　212
ドメイン・コンセンサス　224, 228

ドメインの定義　212-215
　　——のチェック・ポイント　223
　　——の分類　225
共食い　19, 140
ドライ戦争　137-145
取引先集中度　178

な　行

ナショナル・ブランド（NB）　105
納得性　228
2次卸　23
ニーズ（to meet What）　55
ニッチ　127
ニッチャー　61, 101
　　——の戦略　127-131
　　——の戦略定石　128
日本ルナのケース　130-131
値引き　185
値引き交渉のターゲット　181-182

は　行

売却　205
8ミリ・カメラ　84
花形製品　197
ハーフィンダル指数　155-157, 176-177
パラダイム　212
販売員　39
販売員活動　28
販売促進〔販促〕→プロモーション
ハンバーガー市場（日本）　177
ビール市場シェアの推移　141
ビール，発泡酒業界のハーフィンダル指数　158
ファースト・ムーバーズ・アドバンテージ →先行者の優位性
フィット　6, 21, 135
フォロワー　100
　　——の戦略　132-134
　　——の戦略定石　133
深い製品ライン　129
普及のボトルネック　74, 76
複数ターゲット・アプローチ　61, 68, 118
富士写真フィルム「チェキ」のケース　64-68
プッシュ戦略　32, 37
物理的表現　224
物　流　20
物流システム　25-26
物流費　26-27
部　品　183
　　——の調達　181-182
部分と全体　191
プライス　12, 33-35, 66
プライベート・ブランド（PB）　105
ブランド　15
ブランド・イメージ　38
ブランド選好　78, 162
ブランド・ロイヤルティ　82, 172
フル・カバレッジ　62, 115, 118
プル戦略　32, 37, 95
フルライン（政策）　18-19, 62, 118, 141-142
プレイス　11, 20, 37, 67
　　——の設計・選択　22

索　引　249

プロダクト　11-20, 66
　　――とプライスのフィット　37
プロダクト・ポートフォリオ・マネジメント　➡PPM
プロダクト・ミックス　18-20
プロモーション　12, 31, 37, 66
閉鎖型（流通）チャネル（政策）　24, 37, 39
ヘビー・ユーザー期　45
変則的な製品ライフサイクル　90
放送権の価格　183
保証書　16
補助的サービス　14, 79
ボストン・コンサルティング・グループ　192
ポーター（M.E. Porter）　150
ホッファー（C.W. Hofer）　224
ホリデイ・インズ社のケース　214-216
本質サービス　12-14, 17, 34-35

ま 行

負け犬　197
マーケター　49
マーケティング　48
マーケティング戦略定石　118
マーケティング戦略の見取り図　9
マーケティング・ミックス　11, 63
マッカーシー（E.J. McCarthy）　11
マニア　75

ミッション〔使命〕　212
メンテナンス・サービス　16
モノマネ企業　116
問題児　197
　　――の選別　201

や 行

ユーザー下降期　45
ユーザーの意思決定　180
ユーミンのケース　55-58
夢　228
予想される反撃の強さ　167-168
4つのP〔4P's〕　11, 35, 62
ヨード卵「光」のケース　35-37
よんピー　➡4つのP

ら 行

ライフサイクル理論　➡製品ライフサイクル
ライン　18
　　――の奥行き　19
　　――の幅　18
　　浅い（製品）――　134
　　深い（製品）――　129
利益ポテンシャル　151
利益率　200
リース業界　171
リーダー　100
　　――の戦略　111-119
　　――の戦略定石　118
流通業者の数と小売店の数　23
流通経路　➡プレイス
流通チャネル　20
　　――へのアクセス　172

旅行業　215-216
ルイ・ヴィトンのケース　38
レビット（T. Levitt）　225
労働集約的な業界　170

ロジスティクス　20

● わ 行

ワイック（K.E. Weick）　229

企業名索引

● あ 行

アサヒビール（「スーパードライ」）
　　137-139, 142, 180
旭化成工業（冷凍食品事業）　208
味の素　114
イーストマン・コダック（デジタル・
　　カメラ, 写真用フィルム）　86,
　　166, 173
江崎グリコ（キャラメル）　15
オメガ・プロジェクト（「リング」「ら
　　せん」）　30
オリンパス光学工業（デジタル・カ
　　メラ）　164

● か 行

花王（「ソフィーナ」）　113, 121,
　　219
──の事業定義　221-222
カシオ計算機（デジタル・カメラ, ウ
　　ォッチ）　120, 164
加ト吉（冷凍食品エビフライ）　172
キヤノン（「ミニコピア」一眼レフ・カ
　　メラ）　110, 117, 171-172
キリンビール（「ラガー」）　121,
　　139-142
コレコ（「キャベツ畑人形」）　16-
　　17

● さ 行

サントリー（「無頼派」）　28
三洋電機　134
──の物流システムの改革
　　26
資生堂　43, 219
──の事業定義　220-222
ジョンソン＆ジョンソン（「リーチ」）
　　121
スリーエム〔3M〕（「ポストイット」
　　「スコッチテープ」）　191
セイコー（「アルバ」）　121
セイコーエプソン　164
セブン-イレブン　105
ソニー（MD）　80, 133-134

● た 行

デュポン（ナイロン）　113
デルタ・スチームシップ（貨物船
　　会社）　215
チノン（8ミリ・カメラ, デジタル・
　　カメラ）　85-86
東京デジタルフォン（Jフォン）
　　27
トヨタ自動車　103, 165
トレイルウェイズ（長距離バス）
　　215

な行

ニチレイ (冷凍食品コロッケ)　172
日産自動車　103
日清食品 (「カップヌードル」)　94
日本移動通信 (IDO)　27
日本デジタル放送サービス (スカイパーフェクTV)　183
日本電気 〔NEC〕(C&C)　226-228
日本農産工業 (「ヨード卵光」)　36
日本ルナ (ヨーグルト)　130-131
日立製作所　26, 212

は行

富士写真フイルム (「チェキ」「フジカシングル8」写真用フィルム)　64-65, 84-85, 164, 173
富士ゼロックス　171
富士通　134
船井電機　134
ペプシコ　31
ホリデイ・インズ (ホテル・モーテル・チェーン)　214, 216
　——の事業構成　214-215
ポロライド (インスタント・カメラ)　65
本田技研工業 〔ホンダ〕(「スーパーカブ」)　87, 103

ま行

マクドナルド　13, 95, 114-115, 177
松下電器産業 (「NP-33S1」卓上型食器洗い乾燥機)　76
マツダ　103
ミシュラン (タイヤ・メーカー)　114
三菱自動車工業　103
ミノルタ (「α7000」)　86, 117
明治乳業 (「明治ブルガリアヨーグルト」)　105
モスフードサービス　127

や行

雪印乳業 (「毎日骨太」)　28

ら行

ライオン (歯ブラシ, 歯磨き粉)　121
ルイ・ヴィトン　38
ロッテ (板ガム)　88

わ行

ワーナー・ランバード (「クロレッツ」)　88

◢ 著者紹介

沼上 幹（ぬまがみ・つよし）
　　一橋大学大学院商学研究科教授

わかりやすい
マーケティング戦略

2000年4月28日　初版第1刷発行
2007年6月20日　初版第17刷発行

ARMA
有斐閣アルマ

著　者	沼　上　　　幹
発行者	江　草　貞　治
発行所	株式会社 有 斐 閣

東京都千代田区神田神保町2-17
電話　(03)3264-1315〔編集〕
　　　 3265-6811〔営業〕
郵便番号 101-0051
http://www.yuhikaku.co.jp/

印刷　大日本法令印刷株式会社・製本　株式会社明泉堂・文字情報レイアウト　ティオ
Ⓒ 2000, 沼上幹. Printed in Japan
落丁・乱丁本はお取替えいたします。
★定価はカバーに表示してあります。
ISBN4-641-12086-2

Ⓡ 本書の全部または一部を無断で複写複製(コピー)することは,著作
権法上での例外を除き,禁じられています。本書からの複写を希望さ
れる場合は,日本複写権センター(03-3401-2382)にご連絡ください。